CONSERVES DE LEGUMES

Recettes pratiques

T. Cecchini

CONSERVES DE LEGUMES

Recettes pratiques

TRADUCTION F. PROST

EDITIONS DE VECCHI

Sur simple envoi de votre adresse, nous vous tiendrons régulièrement au courant de nos publications.

Editions DE VECCHI S.A.
20, rue de la Trémoïlle
75008 - Paris

Imprimé en Italie

Préface

Pour préparer des conserves ne dites plus qu'il faut vivre à la campagne. Que vous soyez en milieu rural, ayant à votre disposition toutes sortes de légumes frais, ou que vous habitiez en milieu urbain, vous ne manquerez pas d'être intéressés par les recettes contenues dans cet ouvrage.
Les conserves que vous ferez vous-même présentent un indéniable avantage économique: il est en effet préférable d'acheter, tomates, haricots, échalotes, poivrons, carottes, haricots verts, etc., lorsque les marchés en regorgent.
On trouvera dans le présent volume des recettes traditionnelles et d'autres totalement inédites, ainsi que de précieux conseils concernant les techniques de préparation: choix des récipients, procédés permettant d'obtenir les meilleurs résultats avec un minimum de fatigue. Vous aurez des réserves pour toute l'année et des idées pour tous les jours.
A l'ouvrage donc, et bonne réussite.

Règles à suivre pour réussir parfaitement les conserves

Préparation des légumes

Si vous ne possédez pas de jardin potager qui vous fournisse chaque jour une quantité suffisante de légumes, vous effectuerez vos achats au marché lorsque la saison battra son plein et que les prix seront abordables.
N'achetez jamais trop de légumes à la fois car vous risqueriez d'être submergés par le travail: les travaux de préparation sont, en effet, assez importants. Consacrez donc, par exemple, un jour aux tomates, puis deux ou trois aux haricots verts, aux petits pois, aux choux et ainsi de suite.
Débarrassez entièrement la table de la cuisine et l'évier, faites place nette afin de n'avoir plus, à portée de la main, que le strict nécessaire. Lavez casseroles, passoires, ustensiles au fur et à mesure de leur utilisation et mettez-les sur l'égouttoir. Vous éviterez ainsi d'être gênés pour la suite des opérations et votre travail s'en trouvera facilité.

Récipients utilisés pour la cuisson

Si le vinaigre fait partie des ingrédients utilisés pour

la cuisson des légumes, les casseroles en aluminium sont à proscrire; on choisira de préfèrence des récipients en verre ou en terre. Mais attention: ces deux types de récipients ont la particularité de faire attacher ce qui cuit. Il faut donc remuer continuellement pendant toute la durée de la cuisson, à l'aide d'une spatule en bois.
Essayez toujours, dans la mesure du possible, de réserver une cuillère en bois pour les sauces ou pour les préparations aromatisées, aillées ou salées. Le bois, en effet, s'imprègne très facilement des odeurs fortes et, en n'utilisant qu'une seule et même cuillère pour la préparation des sauces salées et des gâteaux, vous commettez une erreur qui risque d'être fatale pour vos pêtisseries.
De toute façon, on nettoiera toujours la cuillère après usage, en la frottant bien avec du savon en paillettes et en la rinçant ensuite très soigneusement.

Les bocaux en berre: On choisira de prérérence des bocaux larges, bas et munis d'un couvercle à ressort et d'une rondelle en caoutchouc. Il existe d'autres types de fermetures très efficaces tels que les bouchons à l'émeri et les couvercles métalliques fixés par une bague à vis.
Si l'on utilise ces deux derniers systèmes de fermeture il convient d'intercaler entre le couvercle et l'ouverture du bocal, une feuille de papier huilé d'un diamètre légèrement supérieur à l'ouverture du bocal. Pour éviter que l'air pénètre dans le récipient, appliquer autour du couvercle une bande de ruban adhésif qui rendra la fermeture rigoureusement hermétique.
Les petits pois, les jardinières de légumes et tous

les légumes taillés en petits morceaux peuvent se conserver dans des bocaux à col étroit, alors que les poivrons taillés en gros morceaux, les concombres entiers, les échalotes de bonne taille, les cœurs d'artichauts, etc., se placent de préférence dans des bocaux à large col: ce qui permet d'evtraire les légumes sans les abîmer.

Dès qu'un bocal est vide, on le lave consciencieusement et on le range.

Avant d'utiliser des joints en caoutchouc, il faut s'assurer de leur élasticité. Si celle-ci n'est pas parfaite, s'en procurer d'autres chez un quincailler. Il existe des joints de toutes tailles. Il ne suffit pas de bien rincer les bocaux avant leur utilisation. En effet, très souvent, le rinçage seul ne suffit pas à éliminer toute trace de savon ou de détersif. Il convient donc de les mettre dans une marmite contenant de l'eau très propre et de les laisser bouillir pendant un quart d'heure. Disposer, en attendant, sur la plaque de l'évier, des torchons extrêmement propres et pliés. Retirer les bocaux de l'eau, en veillant à ne pas mettre les doigts à l'intérieur de ceux-ci. Retourner les bocaux sur les torchons propres et les laisser sécher ainsi.

Après avoir rempli et fermé hermétiquement les bocaux, coller des étiquettes portant le nom de la préparation et la date de mise en conserve. Au moment de l'ouverture, prendre de préférence les plus anciens.

Ranger les bocaux dans un garde-manger, par catégorie: tous les oignons ensemble, tous les haricots verts, tous les poivrons et ainsi de suite. Si votre placard de rangement se trouve dans la cuisine ou en quelque autre endroit de la maison, sachez que la chaleur, l'humidité et la lumière nuisent aux con-

serves de légumes. Le meuble contenant les bocaux ne doit donc ni s'appuyer contre une paroi voisine du chauffage central, ni se trouver à proximité des canalisations d'eau chaude ou de tout autre source de chaleur.
On peut, bien sûr, utiliser la cave pour conserver les bocaux de légumes à condition que celle-ci ne soit pas humide et qu'elle ne se trouve pas à proximité d'une chaudière.

Stérilisation Appert La stérilisation dite Appert, du nom de son inventeur, consiste à faire bouillir les bocaux remplis de légumes. Elle nécessite l'utilisation d'une grande marmite au fond de laquelle on dispose du papier journal ou des torchons pliés pour éviter que les bocaux ne s'entrechoquent au moment de l'ébullition.
Les bocaux (ou bouteilles) sont eux-mêmes entourés de papier journal, pour plus de sûreté. On met ensuite de l'eau dans la marmite en veillant à ce que l'eau ne pénètre pas dans les bocauv, au moment de l'ébullition. Attendre que l'eau se refroidisse pour retirer les bocaux de la marmite. Essuyer ensuite les récipients, les fermer hermétiquement puis les ranger.

Les bouteilles Ces dernières sont généralement utilisées pour les coulis, purées et sauces tomates.
On accordera la préférence aux bouteilles possédant un large goulot. Cela n'exclut pas, pour autant, l'usage d'autres types de bouteilles, surtout lorsque celles-ci sont pourvues (tout comme certaines bouteilles de bière ou d'eau minérale) d'un bouchon à levier ou étrier. Si l'on utilise des bouchons de liège, s'assurer que ceux-ci sont neufs et parfaitement pro-

pres, les enfoncer solidement, puis les attacher à l'aide d'une ficelle placée en croix sur le bouchon et nouée très serrée autour du goulot de la bouteille. Il est bon de plonger le goulot, encore tiède, dans de la cire à cacheter bouillante, afin de rendre la fermeture totalement hermétique.
Ne jamais remplir les bouteilles au-delà de leur partie renflée: le goulot doit être vide si l'on veut éviter que les bouchons ne sautent à la première occasion.

Règles à suivre pour acheter les produits de conserves

— N'acheter que des légumes de première qualité, sains, fermes, mûrs à point et sans taches.
— Les laver consciencieusement avant de les faire cuire, afin d'ôter toute trace de poussière et d'anticryptogamique.
— N'utiliser que de l'huile et du vinaigre de toute première qualité: huile d'olive et vinaigre de vin pur. Mieux vaut dépenser un peu plus que de s'exposer à de mauvaises surprises.
— Avoir toujours à portée de la main: clous de girofle, poivre en grain, noix de muscade, feuilles de laurier, gousses de cannelle et baies de genièvre, en bocaux séparés.
Quant aux plantes aromatiques constituant le "bouquet garni", vous pouvez les cultiver sur le rebord de votre fenêtre ou sur votre balcon. Il vous suffira pour cela d'acheter des sachets de graines et de suivre les instructions se trouvant au dos du sachet, de semer au printemps et d'attendre que les plantes sortent de terre. Vous pourrez ainsi disposer à tout moment de persil, marjo-

laine, menthe, basilic, sauge, etc., qui vous sont nécessaires.

— Nous vous conseillons, enfin, de noter sur un carnet toutes les recettes vous ayant donné le plus de satisfaction et celles qui éventuellement auraient été moins réussies, afin de ne pas commettre deux fois de suite les mêmes erreurs et d'améliorer votre technique.

Préparations à base d'un seul légume

Ail frais

On peut conserver l'ail à l'état frais pendant plusieurs mois, à condition de tresser chaque tête d'ail de manière à former des chapelets que l'on suspend dans un local aéré, frais et sec.
Veillez à ce que l'ail ne germe pas. Ecarter toute tête d'ail germée car celle-ci se dessèche et dégage même une odeur désagréable.
On trouve ces chapelets d'ail dans le commerce. On peut aussi se procurer de petits flacons très pratiques, contenant de la poudre d'ail seule ou mélangée à du sel.
Ces deux derniers produits s'avèrent d'une grande utilité dans la préparation de tout type de sauces, de jus, d'assaisonnements.

Artichauts conservés dans la saumure

Choisir de beaux artichauts, charnus, couper la queue et enlever les premières feuilles, qui sont les plus dures, puis couper les feuilles suivantes sur deux ou trois centimètres. Séparer les artichauts en quatre portions et laver le tout dans une eau légèrement vinaigrée. Egoutter et jeter les artichauts ainsi

préparés dans une casserole d'eau salée, préalablement additionnée de vinaigre, à raison d'une cuillerée par litre.
Utiliser de préférence des casseroles en terre, en fer émaillé (sans fissures) ou en verre.Laisser bouillir 10 minutes, égoutter et étendre les artichauts sur un torchon. A l'aide d'un petit couteau retirer le foin se trouvant à l'intérieur.
Pendant ce temps, faire bouillir de l'eau, la laisser refroidir; ajouter une quantité égale de vinaigre de bonne qualité, et du sel dans une proportion de 200 g par litre. Choisir des bocaux à large ouverture, y placer les artichauts, bien à plat, en couches superposées, que l'on pressera au fur et à mesure avec les doigts. Arrivés aux deux tiers du bocal, verser le liquide préparé, en laissant un espace qui sera comblé par une huile d'olive de qualité.
Fermer le couvercle hermétiquement, et, dans le cas où la fermeture ne serait pas parfaite, entourer le bouchon de quelques tours de ruban adhésif ou de sparadrap. Ranger les bocaux dans un lieu frais.
Au moment de consommer les artichauts, les jeter dans de l'eau tiède, les y laisser quelques minutes, puis les passer sous un jet d'eau froide et les faire cuire sans sel.

Artichauts à l'huile (Recette n° 1)

Il est difficile de trouver de très petits artichauts dans le commerce, c'est pourquoi cette recette s'adresse surtout à ceux qui possèdent un jardin.
En effet, il ne s'agit pas d'utiliser n'importe quel artichaut, mais seulement ceux de fin de saison. Habituellement la plante produit, après une certaine pé-

riode de repos, de tout petits artichauts, parfois pas plus gros qu'un petit citron et même encore plus petits, mais qui n'en sont pas moins tendres et savoureux.
Après avoir ramassé ces petits artichauts, les tailler afin d'enlever les feuilles les plus dures et les épines. Presser deux ou trois citrons dans une assiette creuse, y verser les artichauts au fur et à mesure qu'ils sont nettoyés et débarrassés de leur foin; (on remplace l'eau de nettoyage par un jus de citron pour éviter que les artichauts noircissent). Dans une casserole qui ne doit pas être en aluminium, verser à parts égales du vinaigre de vin pur et du vin blanc sec de façon que ces deux liquides recouvrent entièrement les artichauts.
Mettre la casserole sur le feu, ajouter 3 feuilles de laurier, six clous de girofle, du sel et quelques grains de poivre.
Lorsque le liquide bout, enlever les aromates à l'aide d'une écumoire, et plonger les petits artichauts. Laisser bouillir à feu doux jusqu'à mi-cuisson.
Disposer sur un plat un tamis en crin (ne jamais utiliser de tamis métallique) et sortir, à l'aide d'une écumoire, les artichauts du liquide pour les déposer dans le tamis.
Couvrir ensuite le tamis d'un couvercle ou d'un torchon et attendre que les artichauts soient bien secs et froids.
Entre-temps préparer le ou les bocaux, en choisissant de préférence des récipients à large ouverture. Disposer par couche les petits artichauts; entre chaque couche mettre soit une ou deux feuilles de laurier, soit un clou de girofle écrasé, et ainsi de suite en alternant artichauts et aromates jusqu'à ce que tous les artichauts aient été utilisés.

Les bocaux ne doivent être remplis qu'aux deux tiers. Si l'on dispose de beaucoup d'artichauts il est bon de les trier, en mettant les plus petits dans un bocal, les moyens dans un autre et les gros dans un troisième.
Verser dans les bocaux suffisamment d'huile d'olive pour recouvrir tous les artichauts, puis les ranger dans le garde-manger, sans couvercle, simplement protégés par un linge.
Vérifier chaque jour la quantité d'huile absorbée par les artichauts et en ajouter si nécessaire, cela pendant une dizaine de jours. Puis fermer hermétiquement les bocaux, les étiqueter et les conserver dans un lieu sec et frais.
Une trentaine de jours après on peut commencer à ouvrir les premiers bocaux. On sert ces petits artichauts avec de la viande grillée ou dans de délicieuses salades mixtes.

Artichauts à l'huile (Recette n° 2)

Préparer une cuvette pleine d'eau additionnée d'un jus de citron et y jeter les artichauts après avoir ôté toutes les premières feuilles et les épines de manière à n'utiliser que le cœur. Cette opération permet d'éviter qu'ils ne noircissent à l'air.
Verser ensuite tous les artichauts dans une casserole en terre, les recouvrir de vin blanc sec additionné de vinaigre (1 litre de vin pour un demi-verre de vinaigre). Mélanger au liquide ainsi obtenu un peu de sel, quelques grains de poivre, une feuille de laurier, 2 ou 3 tranches de citron et mettre le récipient sur le feu. Porter à ébullition et attendre que les artichauts soient juste cuits; retirer alors la cassero-

le du feu, faire égoutter les artichauts dans une passoire et attendre qu'ils soient complètement refroidis. Pendant ce temps retirer les grains de poivre, la feuille de laurier et les tranches de citron du liquide.
Verser les artichauts sur un torchon propre et les essuyer avec un autre linge, un à un, avant de les mettre dans des bocaux propres et secs.
Les récipients doivent être larges et remplis aux trois quarts. Recouvrir les artichauts d'huile, et aligner les bocaux dans votre garde-manger en plaçant un linge sur leur ouverture. Ne pas oublier de coller des étiquettes indiquant la date de préparation.
Pendant trois ou quatre jours vérifier la quantité d'huile absorbée par les artichauts, en ajouter si nécessaire; lorsque les artichauts sont saturés d'huile, boucher hermétiquement les bocaux et les ranger.
Attendre environ deux mois avant de les consommer.

Artichauts séchés

Choisir des artichauts tendres et frais.
Les diviser en deux, après avoir coupé, en plus des premières feuilles qui sont les plus dures, deux ou trois centimètres de feuilles. Frotter les artichauts en tous sens à l'aide d'un demi-citron, pour empêcher qu'ils noircissent, puis les jeter dans de l'eau bouillante additionnée de sel et de vinaigre (1 ou 2 cuillerées de vinaigre ou de jus de citron et 1 cuillerée de sel par litre d'eau). Laisser tremper pendant environ 10 minutes, bien égoutter, puis étaler les artichauts sur une table de bois et les recouvrir d'un linge propre.

Exposer les artichauts au soleil en prenant soin de les retourner assez souvent jusqu'à ce qu'ils soient suffisamment secs pour être mis dans des sachets en papier ou dans des boîtes en bois tapissées de papier.
Les caissettes ou les sachets doivent être conservés dans le lieu le plus ventilé de la maison, au grenier peut-être. Ils doivent faire l'objet d'un contrôle régulier permettant de déceler des traces de moisissure survenant à la suite de brusques changements de température.
Avant d'utiliser les artichauts il faut les "rafraîchir" pendant une heure environ dans de l'eau tiède. Les cuire ensuite selon son goût sans oublier qu'ils sont déjà légèrement salés.

Asperges conservées dans la saumure

Pour cette préparation tout comme pour la précédente, on utilisera des asperges très fraîches, saines, fermes et de grands bocaux à long col.
Couper toutes les asperges à la même longueur de sorte qu'elles puissent se tenir bien droites dans les bocaux sans que les couvercles écrasent les pointes.
Les laver, les placer délicatement dans un panier à salade et les faire blanchir pendant deux ou trois minutes dans une marmite contenant de l'eau bouillante sans sel.
Egoutter, passer à l'eau froide, égoutter de nouveau, puis faire sécher sur un torchon propre.
Pendant ce temps, faire bouillir de l'eau, la laisser refroidir, puis y ajouter une quantité égale de vinaigre et 30 à 40 g de sel par litre de liquide.
Placer les asperges bien droites dans les bocaux et

ajouter autant de liquide que cela est possible, en laissant un espace d'un ou deux centimètres qui sera rempli d'huile d'olive. Poser un disque de papier huilé à l'ouverture du bocal avant de le fermer hermétiquement à l'aide de l'étrier.
Tenir les bocaux dans un endroit frais.
Avant l'utilisation, plonger les asperges un moment dans de l'eau tiède puis les laver sous un mince filet d'eau froide. Les cuire légèrement, sans sel.

Asperges au naturel

Choisir de belles asperges, charnues, très fraîches et, si possible, juste cueillies, ainsi que des récipients à larges cols, pourvus d'une fermeture hermétique. Tout bocal possède un joint en caoutchouc à l'intérieur du convercle et un ressort métallique. A défaut de ressort, utiliser un ruban adhésif toilé, ou mieux encore, du sparadrap.
Laver les asperges à plusieurs eaux et éliminer toutes celles qui possèdent une tige tordue ou qui présentent une quelconque malformation. Egaliser les tiges pour qu'elles aient toutes la même hauteur et puissent se placer verticalement dans les bocaux choisis.
Placer délicatement les asperges à plat dans un panier à salade et le plonger dans une marmite d'eau bouillante salée. Laisser ce récipient dans l'eau pendant deux à trois minutes, puis égoutter les asperges à plat sur un torchon.
Placer ensuite les asperges dans les bocaux, tête en haut, puis disposer les récipients non fermés, au fond d'une marmite, où on aura préalablement plié des torchons. Remplir la marmite d'eau, jusqu'aux

trois quarts des bocaux (Voir la stérilisation Appert). Mettre la marmite sur le feu et porter à ébullition, puis baisser la flamme et laisser bouillir à feu modéré pendant une dizaine de minutes. Eteindre le feu et attendre que le tout refroidisse, puis procéder à la fermeture des bocaux de la manière indiquée. Tenir les bocaux dans un lieu frais.
Au moment de consommer les asperges il suffit de les faire bouillir pour parachever la cuisson.

Aubergines conservées dans l'huile (Recette n° 1)

Choisir de belles aubergines, bien mûres et fermes, les peler et les couper en tranches d'un demi-centimètre au plus.
Les disposer en couches sur des assiettes et saupoudrer chaque couche de sel fin, puis couvrir à l'aide d'autres assiettes renversées et laisser dégorger pendant au moins 24 heures. Ce laps de temps écoulé, presser les tranches d'aubergines une à une, entre deux torchons, de façon à en absorber toute l'humidité.
Faire bouillir du vinaigre en quantité suffisante (1 litre et demi de vinaigre pour 1 kilo d'aubergines) et le laisser refroidir.
Disposer les tranches d'aubergines en couches dans des bocaux de verre parfaitement propres et secs. Saupoudrer chaque couche d'origan et de piments rouges additionnés d'un soupçon de vinaigre. Ne remplir les bocaux qu'aux trois quarts, puis recouvrir les légumes d'huile d'olive de première qualité.
Fermer hermétiquement les bocaux, puis les ranger dans un lieu sec et frais.

On peut commencer à consommer les aubergines ainsi préparées, trois mois environ après leur mise en bocaux, comme garniture de viandes bouillies ou grillées.

Aubergines conservées dans l'huile (Recette n° 2)

Cette recette requiert un peu plus de temps que la précédente, mais donne un résultat très intéressant. Les aubergines, ainsi préparées, prennent un goût légèrement piquant, très voisin de celui des champignons.
Plonger des aubergines fermes et bien mûres dans une cuvette pleine d'eau et renouveler cette dernière opération deux ou trois fois. Retirer ensuite les aubergines de l'eau et les essuyer soigneusement avec un torchon; enlever leur pédoncule et les couper en tranches très fines dans le sens de la longueur, sans les éplucher.
Les disposer, ensuite, en couches, sur des plats, et saupoudrer abondamment chaque couche de sel fin. Couvrir ces plats à l'aide d'autres plats renversés, et laisser dégorger 24 heures environ.
Presser les aubergines une à une entre deux torchons, puis les faire sécher à plat sur une nappe. Les laisser à l'air une journée entière, en prenant soin de les retourner de temps en temps.
Dans une casserole non métallique, disposer les aubergines en couches superposées et, entre chacune d'elles, verser du vinaigre de vin pur. Remplir le récipient aux trois quarts.
On peut, si on le désire, ajouter quelques aromates. Par exemple: des clous de girofle (3 à 5), quelques grains de poivre, quelques feuilles de laurier.

Mettre sur le feu et porter à ébullition, puis réduire la flamme au minimum et laisser bouillir doucement pendant environ un quart d'heure. Retirer la casserole du feu et attendre que le tout refroidisse.
A l'aide d'une écumoire, retirer les aubergines du liquide dans lequel elles ont bouilli et les étaler sur une nappe. Les laisser sécher à l'air, en les retournant de temps à autre. On peut faciliter l'élimination de l'humidité en pressant chaque tranche entre deux torchons.
Lorsqu'elles sont bien sèches, on peut enfin les disposer en couches dans des bocaux à large ouverture. Ne remplir ces derniers qu'aux trois quarts et combler l'espace vide avec une excellente huile d'olive. Fermer hermétiquement les bocaux et les ranger dans un garde-manger.
On peut commencer à ouvrir les bocaux au bout de trois mois environ et utiliser ces savoureuses aubergines comme garniture de toutes sortes de viandes, grillées ou rôties, de préférence.

Aubergines conservées dans l'huile (Recette n° 3)

Recette d'exécution très simple.
Acheter des aubergines fermes et très saines, les laver, les essuyer avec un torchon de manière à en retirer toute trace de poussière ou autre impureté, enlever les pédoncules.
Couper les aubergines en tranches, de l'épaisseur d'un doigt, dans le sens de la largeur.
Les disposer en couches superposées sur un ou plusieurs plats. Saupoudrer chaque couche de sel fin. Couvrir ensuite les plats en mettant, si possible, un poids suffisant sur les couvercles pour que les auber-

gines soient maintenues bien tassées. Laisser dégorger 24 heures.
Ce laps de temps écoulé, presser les tranches d'aubergines, une à une, entre deux torchons très propres, pour en éliminer tout le liquide amer et salé. Disposer les tranches d'aubergines, sans les cuire, dans des bocaux de verre à large ouverture. Saupoudrer chaque couche d'aubergines d'un peu d'origan, et les asperger de quelques gouttes de vinaigre de vin et d'une à deux cuillerées d'huile d'olive. Remplir ainsi les bocaux jusqu'aux quatre cinquièmes de leur hauteur. Terminer par un bon doigt d'huile d'olive et fermer hermétiquement les bocaux avant de les ranger dans un lieu sec et frais.
N'ouvrir les premiers bocaux que trois mois après la mise en conserve.
Les aubergines ainsi préparées serviront de garniture à toute viande grillée ou bouillie.

Aubergines parfumées conservées dans l'huile

Pour exécuter cette préparation, il est nécessaire de se procurer de très petites aubergines et de gros bocaux.
Enlever l'involucre ou collerette de chaque aubergine, sans retirer le pédoncule.
Bien les laver, les essuyer et les faire cuire dans une quantité suffisante de vinaigre de vin blanc pur (1 kilo de légumes pour 1 litre environ de vinaigre). Laisser frémir à petit feu, jusqu'à ce que les aubergines soient arrivées à mi-cuisson. Ajouter alors pour chaque kilo d'aubergines pesées crues: 1 noix muscade râpée ou pilée, 3 clous de girofle, 4 ou 5 grains de poivre noir, 1 bonne cuillerée de sel.

Laisser bouillir encore 1 ou 2 minutes, puis verser les aubergines dans une passoire et les laisser égoutter. Les mettre ensuite sur torchon propre et les laisser sécher à l'air pendant 2 heures. Enlever tous les aromates au cours de ces diverses opérations.
Lorsque les aubergines sont sèches, les déposer délicatement dans des bocaux, en ajoutant, dans chaque bocal, un clou de girofle et un petit bâton de cannelle. Remplir les récipients d'huile d'olive, puis les fermer hermétiquement et les conserver dans un lieu frais.

Aubergines en sauce (Conserve d')

Choisir des aubergines de taille moyenne, ovales, mûres et pourvues d'une chair ferme. Enlever les pédoncules et couper les aubergines en deux, dans le sens de la longueur, sans les peler, puis les faire macérer pendant une heure dans suffisamment d'eau salée (1 litre d'eau pour une poignée de sel).
Ce laps de temps étant écoulé, retirer les aubergines de l'eau, les faire égoutter puis les essuyer en les pressant à deux mains dans un torchon propre.
Pendant ce temps, faire chauffer une bonne quantité d'huile d'olive dans une grande poêle et y jeter les aubergines. Les faire frire rapidement des deux côtés, et les retirer de l'huile à l'aide d'une écumoire. Les poser sur plusieurs épaisseurs de papier absorbant pour qu'elles s'égouttent et refroidissent.
Cette opération une fois achevée, essuyer les aubergines une à une à l'aide d'un torchon, puis les disposer en couches, dans des bocaux de verre à large ouverture. Lorsque les récipients sont aux trois quarts

pleins, verser suffisamment de sauce tomate pour recouvrir entièrement les aubergines.
Fermer les bocaux et les disposer dans une marmite contenant des torchons entortillés et de l'eau. Mettre la marmite sur le feu et laisser bouillir pendant environ 1 heure.
Après avoir procédé à la stérilisation de la manière indiquée ci-dessus, laisser refroidir les bocaux avant de les essuyer, les étiqueter et les ranger dans un endroit frais.

Basilic conservé dans l'huile

Choisir de grosses feuilles charnues très parfumées, ne présentant ni taches ni attaques d'insectes.
Détacher les feuilles des rameaux en ayant soin de couper les queues.
Mettre à tremper dans une cuvette d'eau pendant un quart d'heure, puis laver à l'eau courante.
Disposer les feuilles sur un linge et à l'aide d'un autre linge les essuyer délicatement une par une.
Verser toutes les feuilles dans un bocal en verre propre et sec, jusqu'aux trois quarts du récipient et ajouter suffisamment d'huile d'olive pour remplir le bocal.
Fermer hermétiquement le bocal à l'aide de l'un des systèmes déjà mentionnés: fermeture à ressort (ou étrier) ou bouchon à l'émeri. Ranger dans un endroit frais.
Le basilic ainsi conservé peut être utilisé pour tout type de sauces ou d'assaisonnements de salades, sans rien perdre de sa saveur d'origine; il la communique, du reste, à l'huile de conservation. Lorsqu'on aura consommé le basilic, on pourra utiliser cette

huile de conservation pour l'assaisonnement des salades.

Basilic salé

Choisir les feuilles les plus larges, les plus grosses, les plus charnues et les plus parfumées du basilic lorsque celui-ci n'est pas encore en fleur.
Les nettoyer une à une avec un linge propre sans pour autant les écraser, puis les disposer en couches superposées dans un bocal en verre.
Saupoudrer chaque couche d'une pincée de sel et continuer ainsi, couche par couche, jour après jour, jusqu'à ce que le bocal soit plein aux trois quarts.
Ajouter alors suffisamment d'huile d'olive pour remplir le récipient et fermer hermétiquement ce dernier avant de le ranger dans un garde-manger.

Basilic séché

Qu'il soit destiné à être séché ou conservé dans de l'huile, le basilic doit être de bonne qualité, avoir de grosses feuilles charnues et très parfumées.
Détacher les feuilles des rameaux et, à l'aide d'un chiffon propre, frotter légèrement les feuilles une à une pour éliminer toute trace de poussière.
Disposer les feuilles bien à plat sur un torchon et les laisser à l'air libre jusqu'à ce qu'elles soient entièrement sèches. Il est indispensable de les retourner de temps à autre.
Le séchage terminé, mettre les feuilles dans des sachets en papier ou dans des bocaux propres et secs.

Au moment de l'utilisation, on peut plonger les feuilles de basilic dans de l'eau à peine tiède avant de les jeter dans de la sauce tomate par exemple.
Avec des feuilles de basilic séchées et émiettées entre les doigts, on peut obtenir de la poudre de basilic convenant bien à divers assaisonnements. Conserver cette poudre dans des bocaux en verre, et les mettre dans un endroit sec.

Câpres au vinaigre

On utilise les câpres au vinaigre pour l'assaisonnement de salades de pommes de terre ou de salsifis ainsi que pour la préparation de délicieuses sauces à base de persil, d'anchois, de jaunes d'œufs et d'huile.
Pour exécuter cette recette il faut pouvoir disposer d'une certaine quantité de câpres (500 g ou 1 kg) fraîches et juste cueillies. Les câpres, on le sait, sont les boutons floraux du câprier, arbuste qui pousse le long des murs dans les régions tempérées.
Choisir de belles câpres, saines, fermes et sans taches. Les faire tremper dans de l'eau froide pour éliminer toute la poussière qui les recouvre, en renouvelant l'eau à plusieurs reprises. Bien les égoutter et les faire sécher sur un torchon.
Les peser et calculer les proportions nécessaires en fonction des critères suivants: 1 kilo de câpres pour un litre de vinaigre de vin pur (blanc ou rouge, cela n'a pas d'importance), 1 petite cuillerée de sel de cuisine, quelques grains de poivre et, si possible, quelques feuilles d'estragon.
Verser le vinaigre dans le récipient et y ajouter les ingrédients énumérés ci-dessus. Laisser macérer le

tout pendant quelques jours afin que le sel se dissolve et que le vinaigre s'imprègne bien des autres goûts. Deux fois par jour, agiter le bocal, qui doit être soigneusement fermé.
Choisir des bocaux de petite taille, car on ne consomme généralement pas beaucoup de câpres à la fois et il est bon de consommer le contenu du bocal dans les dix jours qui suivent son ouverture.
Verser dans chaque bocal trois quarts de câpres fraîches, lavées et égouttées et y ajouter le vinaigre aromatisé.
L'opération une fois terminée, fermer hermétiquement les bocaux et les ranger dans un endroit frais et sec. Attendre deux mois avant d'ouvrir le premier bocal.

Carottes parfumées en pots stérilisés

Choisir des carottes tendres au cœur non ligneux. Couper les deux extrémités, puis laver les carottes à grande eau, en les frottant à l'aide d'une toile rugueuse, ce qui permet d'obtenir une surface extrêmement propre sans qu'il soit pour autant nécessaire de procéder à l'épluchage.
Couper les carottes en quatre dans le sens de la longueur puis de la largeur. Tenir compte de la taille des carottes: les morceaux doivent avoir une longueur d'environ 4 cm et une largeur de 1 à 2 cm. Mettre les carottes dans une casserole puis verser suffisamment d'eau pour les recouvrir et ajouter une cuillère à soupe d'huile. Ajouter une petite cuillerée de sel par 500 g de carottes. Mettre sur le feu et porter aux trois quarts de la cuisson.
Si tout le liquide n'a pas été éliminé par la cuisson en retirer le plus possible à la louche, puis verser

dans la casserole deux cuillerées de persil haché et une bonne pincée de poivre.
Laisser cuire encore quelques minutes, puis à l'aide d'une écumoire remplir les bocaux en verre aux quatre cinquièmes. Disposer les bocaux sans couvercle dans une casserole d'eau froide. Porter lentement à ébullition. Laisser bouillir 20 minutes, éteindre le feu et attendre que l'eau refroidisse complètement.
Retirer les bocaux de la casserole, les essuyer, les fermer hermétiquement, et les ranger dans un lieu frais.
Au moment de l'utilisation sortir les carottes du récipient à l'aide d'une cuillère et les faire revenir dans un peu d'huile d'olive.
Ces carottes pourront accompagner tout type de viande.

Champignons au beurre en bocaux stérilisés

Préparer les champignons de la manière indiquée au paragraphe "champignons séchés", les laisser égoutter pendant environ une demi-heure, et les laisser ensuite sécher à l'air sur un torchon. Attendre une heure environ.
Mettre dans une sauteuse un beau morceau de beurre dont la taille sera déterminée par la quantité de champignons utilisés. Faire fondre le beurre, puis jeter les champignons dans la casserole, saler, et porter à mi-cuisson.
Choisir des bocaux à large ouverture et bouchon hermétique, les remplir aux trois quarts de champignons et d'un peu de jus de cuisson. Laisser refroidir.
Mettre au fond d'un fait-tout, suffisamment large pour contenir tout ou partie des bocaux, des torchons en-

tortillés, puis juste assez d'eau pour qu'elle ne pénètre pas dans les bocaux au cours de l'ébullition.
Placer le fait-tout sur le feu et porter à ébullition à petit feu pendant 10 minutes environ.
Attendre que l'eau refroidisse pour retirer les bocaux du fait-tout, les essuyer, les fermer hermétiquement.
Ranger les récipients dans un endroit frais pour éviter que le beurre dans lequel sont conservés les champignons ne rancisse.
Au moment de l'utilisation, on retirera les champignons des bocaux à l'aide d'une cuillère et on les fera réchauffer dans une petite casserole.

Champignons conservés dans l'huile (Recette n° 1)

Pour ce type de conserve, on n'emploiera que des bocaux larges et bas, munis d'un système de fermeture hermétique.
Utiliser un kilo de champignons parfaitement frais. Les nettoyer de la façon suivante: éliminer du pied la partie terreuse ou tout autre impureté, écarter tous les champignons piqués par les insectes, et laver les autres dans plusieurs eaux fraîches vinaigrées.
Les égoutter, puis les étaler sur un torchon et les couper en petits morceaux. Les déposer dans un panier à salade et immerger celui-ci dans une marmite contenant de l'eau bouillante salée. Retirer le panier à salade de la marmite et laisser égoutter cinq minutes. Puis verser les champignons dans un récipient non métallique contenant déja 2 litres de vinaigre de vin très fort et chaud: attendre que le vinaigre arrive à ébullition pour baisser la flamme et laisser

cuire à feu doux pendant près de 15 minutes,pas plus. Egoutter les champignons et les laisser refroidir. Entre-temps, préparer un mélange aromatique composé d'ail hâché (4 gousses), de 5 clous de girofle, d'un bouquet de persil, lui aussi haché, et de 8 à 10 grains de poivre.
Lorsque les champignons sont froids, les déposer en couches dans des bocaux de verre et, entre chaque couche, répartir le mélange aromatique.
Recouvrir le tout d'une bonne quantité d'huile.
Fermer hermétiquement les bocaux et les ranger dans un garde-manger.

Champignons conservés dans l'huile (Recette n° 2)

Nettoyer et laver des champignons de toutes sortes, comme cela a été décrit dans la recette précédente, puis les couper en petits morceaux et les jeter dans une casserole contenant une bonne quantité d'huile d'olive bouillante.
Baisser la flamme et laisser cuire pendant environ 8 minutes, retirer ensuite les champignons de l'huile à l'aide d'une écumoire, et les verser dans des récipients de verre propres et secs, de manière à ce que ceux-ci soient aux trois quarts pleins.
Ajouter à cette préparation suffisamment d'huile d'olive pour remplir chaque bocal et fermer hermétiquement.

Champignons conservés dans l'huile (Recette n° 3)

Nettoyer consciencieusement 1 kilo de cèpes. Bien les râcler avec le dos d'un petit couteau afin d'en éliminer toute particule sableuse ou autre impureté.

Séparer ensuite le chapeau du pédoncule et immerger les champignons ainsi préparés, dans une cuvette pleine d'eau froide, où on les laissera tremper 1 heure.
Changer l'eau de temps à autre jusqu'à ce qu'elle soit très propre. Verser alors les champignons dans un panier à salade et les laisser égoutter, puis les mettre dans un petit sac de toile ou dans un torchon lié à la manière d'un baluchon pour qu'ils perdent la totalité de leur eau.
Cette opération une fois terminée, verser dans une casserole non métallique (en verre, de préférence) un demi-verre de vinaigre de vin blanc pur additionné d'une quantité égale d'eau légèrement salée, et laisser chauffer le tout. Verser ensuite les champignons dans cette préparation et laisser bouillir à petit feu pendant une dizaine de minutes. Retirer la casserole du feu et mettre les champignons dans un panier à salade qu'il est recommandé de bien secouer.
Etaler ensuite les champignons sur un torchon propre et les laisser à l'air pendant 1 ou 2 heures, en les retournant de temps en temps. Préparer entretemps les bocaux dont on a besoin, les faire bouillir pendant 15 minutes dans de l'eau, puis les laisser sécher, retournés sur un torchon. Placer ensuite dans les bocaux, les champignons en couches superposées. Entre chaque couche déposer un morceau de feuille de laurier et une lamelle d'ail (ce dernier étant facultatif).
Après avoir rempli les bocaux aux trois quarts, ajouter de l'huile d'olive très pure jusqu'à environ deux doigts du bord, puis fermer les bocaux d'une manière parfaitement hermétique et les tenir dans un endroit sec et frais.

Champignons séchés

On peut faire sécher toutes sortes de champignons, gros ou petits. Il faut cependant s'assurer que les champignons choisis soient bien comestibles, et tout juste cueillis: jeter tous les champignons véreux ou suspects.
Procéder au nettoyage des champignons. Ce faisant, éliminer la partie sableuse du pied et jeter tous les champignons entamés par des insectes, râcler le reste avec le dos d'un couteau et enlever la peau lorsque celle-ci est un peu épaisse.
Les tout petits champignons peuvent être laissés entiers; les autres doivent être coupés en deux, dans le sens de la longueur, ou même en trois, s'ils sont très gros. Chez certains champignons, le chapeau se détache facilement du pédoncule. Si tel est le cas, et si vos champignons sont de grosse taille, séparer les deux parties et les couper, ensuite, en morceaux.
Verser les champignons dans un panier à salade et les faire blanchir pendant deux ou trois minutes dans de l'eau bouillante légèrement acidulée au vinaigre. Cela les empêchera de noircir.
Les égoutter puis les étaler sur un torchon pour qu'ils commencent à sécher. Au bout de 2 heures, changer le torchon et ne pas oublier de les retourner. Les laisser ainsi exposés à l'air jusqu'à ce qu'ils soient entièrement secs et achever la dessication sur la plaque du four, ce dernier étant chaud mais éteint. Les champignons ne peuvent être enfermés dans des sachets en papier ou dans des bocaux en verre très secs que lorsqu'ils se réduisent en miettes par la simple pression de deux doigts. Ranger les conserves de champignons séchés dans

un garde-manger très sec. S'assurer de temps à autre qu'ils n'ont pas pris l'humidité, car si l'on néglige cette précaution, on risque de les voir moisir en l'espace de quelques heures.
On peut aussi enfiler les champignons, à l'aide d'une aiguille à repriser, sur un fil fort et les suspendre dans un endroit aéré.
Avant de les faire cuire, les laisser ramollir dans de l'eau tiède.

Champignons au vinaigre

Choisir des cèpes frais cueillis, sains et fermes, non piqués par les insectes et les vers.
Bien les nettoyer, en éliminant leur partie sableuse et en les lavant à plusieurs eaux. Les couper en deux, dans le sens de la longueur, ou les laisser entiers, s'ils sont petits.
Faire bouillir pendant 10 minutes, dans une casserole non métallique, une quantité de vinaigre de vin blanc pur proportionnelle à la quantité de champignons dont on dispose, additionnée d'une cuillerée de sel fin par litre de vinaigre, et y plonger les champignons. Après avoir laissé bouillir le tout pendant 5 minutes, retirer la casserole du feu et verser sul les champignons 3 ou 4 grains de poivre, un bâtonnet de cannelle, une gousse d'ail, 4 clous de girofle, 2 ou 3 feuilles de laurier. Les quantités sont indiquées pour 2 litres de vinaigre, augmenter ou réduire les doses, suivant les cas.
Une heure après environ, faire égoutter les champignons tout en recueillant le vinaigre dans un récipient. Eliminer le laurier et l'ail, puis répartir les champignons dans des bocaux de verre parfaite-

ment propres et secs, en veillant à laisser un espace de trois doigts qui sera rempli d'un vinaigre froid non bouilli. Fermer hermétiquement les bocaux et les ranger dans un garde-manger. Le vinaigre ayant servi à la cuisson, pourra être utilisé, une fois filtré, pour l'assaisonnement de salades de champignons frais ou d'autres types de légumes.

Choux de Bruxelles au naturel, en bocaux stérilisés

Acheter de beaux choux de Bruxelles, frais et fermes.
Oter les premières feuilles et écarter les choux un peu flétris. Mettre à tremper une heure environ dans une cuvette pleine d'eau froide renouvelée à deux reprises. Déposer ensuite les choux dans un panier à salade ou tout autre type de grille utilisable pour les cuissons à la vapeur. Plonger le tout dans une grande marmite contenant de l'eau bouillante salée. Attendre quelques minutes, retirer les choux, les égoutter, puis les disposer sur un torchon propre pour les faire sécher à l'air. Les retourner délicatement de temps à autre.
Préparer des bocaux en verre munis de fermetures hermétiques: les laver soigneusement et les rincer. Lorsque ces derniers sont bien secs, y verser les choux de Bruxelles. Ne remplir les récipients qu'aux quatre cinquièmes.
Tapisser le fond d'une marmite de torchons repliés ou de papier journal: verser de l'eau dans la marmite de sorte que le niveau arrive à mi-récipient. Entourer chaque bocal d'un papier journal ou d'un torchon. Disposer les bocaux dans la marmite et porter à ébullition. Puis baisser la flamme et laisser

bouillir à feu doux pendant trois quarts d'heure. Retirer la marmite du feu et attendre que les bocaux refroidissent pour les sortir de l'eau. Les essuyer extérieurement un à un, puis les boucher hermétiquement et les ranger dans un garde-manger. Après un mois on peut commencer à ouvrir les bocaux. Faire revenir les choux de Bruxelles dans du beurre chaud et les accommoder selon son goût avec du fromage râpé ou les faire gratiner au four.
Ils peuvent accompagner toute viande bouillie, rôtie ou grillée.

Choux de Bruxelles conservés dans la saumure

Préparer les choux de Bruxelles en ayant soin de retirer les premières feuilles et d'écarter tous les choux flétris pour ne conserver que les plus fermes et les plus charnus.
Mettre les choux à tremper dans de l'eau pendant une heure puis les passer sous le robinet pour parfaire leur nettoyage.
Faire bouillir de l'eau et immerger les choux pendant 5 minutes, après avoir éteint le feu.
Entre-temps préparer la saumure. Faire bouillir une quantité d'eau en fonction du nombre des choux de Bruxelles utilisés, ajouter du sel et une quantité de vinaigre égale à la quantité d'eau utilisée.
Choisir des bocaux à large ouverture, les laver et les laisser sécher. Les remplir aux trois quarts de choux de Bruxelles et combler le vide avec le liquide encore chaud tout en réservant un espace pour l'huile d'olive.
Attendre que le liquide de conservation refroidisse entièrement pour ajouter l'huile. Fermer ensuite les

bocaux hermétiquement et les ranger dans un lieu sec et frais.
Au moment de consommer ces délicieuses conserves (un mois environ après leur préparation), rafraîchir les choux de Bruvelles, c'est-à-dire les laisser tremper deux ou trois minutes dans de l'eau tiède puis les passer à l'eau froide. Cuire selon ses habitudes mais sans adjonction de sel.

Choux-fleurs séchés

Choisir de beaux choux-fleurs bien fermes et arrivés à maturité. Retirer quelques feuilles et le trognon, puis les couper en fines lamelles à l'aide d'un long couteau bien aiguisé.
Déposer les choux ainsi préparés dans une passoire et les laver soigneusement à grande eau.
Entre-temps faire chauffer dans une grande casserole suffisamment d'eau salée. Porter le liquide à forte ébullition puis éteindre. Plonger alors les choux-fleurs dans l'eau et les laisser tremper quelques instants. Les égoutter et les disposer sur un grand linge. Laisser sécher à l'air pendant quelques heures.
La meilleure solution consisterait à poser les choux-fleurs sur un autre linge sec et à les laisser sécher au soleil. Mais une telle opération demanderait trop de temps et exposerait les légumes à la poussière et aux attaques des insectes. Aussi préfèrera-t-on disposer les choux-fleurs sur la plaque du four. Au préalable le four aura été chauffé puis éteint.
Si la dessication ne se produit pas du premier coup, répéter l'opération: retirer la plaque, refaire tiédir le four, éteindre la flamme, introduire de nouveau la plaque dans le four et l'y laisser jusqu'à refroidissement.

Les choux-fleurs ne sont prêts que lorsqu'ils sont entièrement secs et dépourvus d'humidité.
Les recueillir alors très délicatement de manière à ne pas les émietter et les disposer dans des sachets en papier extrêmement propres.
Fermer les sachets à l'aide d'un ruban adhésif et les suspendre si possible, à une cordelette dans un local sec et frais.
Les choux-fleurs ainsi préparés pourront accompagner tous types de viande. Au moment de l'utilisation, les faire tremper dans un peu d'eau tiède, les laisser égoutter, puis les jeter, avec leur assaisonnement, dans une poêle. On peut aussi, si on le désire, les mettre à tremper quelques instants dans de l'eau bouillante, les égoutter, puis les accommoder avec un peu d'huile, de jus de citron et de sel.

Choux conservés dans l'huile

Choisir un beau chou pommé d'un kilo environ, ferme, mûr, sans taches.
Après avoir retiré les premières feuilles ainsi que le trognon, couper le chou en lamelles de 2 à 3 centimètres et jeter ces dernières dans une cuvette pleine d'eau froide.
Laisser tremper pendant au moins une heure, sans oublier de changer l'eau deux à trois fois; parfaire le nettoyage en passant ensuite le chou à grande eau.
Bien égoutter, puis faire légèrement chauffer le chou dans un récipient en verre; ajouter ensuite 1/2 litre de vinaigre de vin blanc pur mélangé à une quantité égale d'eau, le tout additionné d'une cuillerée de sel et de quelques grains de poivre.

Laisser bouillir 2 minutes, retirer le chou, en ayant soin d'éliminer les grains de poivre, le faire égoutter puis le laisser sécher à l'air sur un torchon propre, en le retournant de temps en temps.
Préparer des bocaux de verre de grande dimension, préalablement bien lavés et soigneusement essuyés. Les remplir des morceaux de chou aux trois quarts et combler le vide avec de l'huile d'olive de toute première qualité.
Imprimer au bocal un mouvement rotatif pour que l'huile pénètre bien entre les lamelles de chou, puis fermer hermétiquement les bocaux et les ranger dans un garde-manger.
Deux mois environ après leur mise en conserve, on peut commencer à utiliser les choux pour accompagner les viandes bouillies ou grillées ainsi que pour préparer de délicieux hors-d'œuvres.

A noter: Pour éviter que les choux ne soient réduits en bouillie et ne deviennent inutilisables pour ce type de conservation dans l'huile, surveiller leur cuisson de très près et retirez-les du feu dès qu'ils sont à peine cuits. Les choux ayant des feuilles plus ou moins dures, nous vous laisserons le soin d'évaluer le temps de cuisson qui leur est nécessaire.

Choux au vinaigre

Choisir un chou pommé, bien ferme et très sain, d'environ 1 kilo. En ôter les premières feuilles et le trognon.
Poser ensuite le chou, ainsi préparé, sur une planche à hacher et le tailler en très fines lamelles, à l'aide d'un couteau bien aiguisé.

Sur un large plat, disposer le chou en plusieurs couches. Saupoudrer abondamment chacune d'elles de sel fin. Laisser ainsi le chou pendant une dizaine d'heures, en ayant pris soin de le recouvrir d'un linge propre.
Lorsque le temps est écoulé, verser dans une casserole: 1 litre de vinaigre de vin blanc pur, additionné d'un soupçon de poivre moulu, de 2 ou 4 grains de poivre noir, d'un petit bâton de cannelle et d'une cuillerée à café de sucre.
Faire bouillir environ 2 minutes, puis retirer la casserole du feu et attendre que le liquide soit complètement refroidi.
Pendant ce temps, verser les morceaux de chou, petit à petit, dans un tamis et bien secouer pour éliminer le sel.
Remplir ensuite aux trois quarts les bocaux préalablement lavés et séchés.
Ajouter le vinaigre après en avoir retiré les grains de poivre, et agiter chaque bocal d'un mouvement rotatif pour que chou et vinaigre se mélangent bien.
Boucher hermétiquement les bocaux et les ranger dans un garde-manger. On commencera à ouvrir les premiers bocaux 2 mois après leur préparation.
Les choux au vinaigre constituent une excellente garniture pour les viandes et pour la langue bouillie.

Conservation des oignons frais

Cueillir (ou acheter, selon le cas) des oignons ayant atteint un degré suffisant de maturité, sans pour cela avoir germé; ne choisir que ceux pourvus d'une enveloppe dorée.

Ecarter sans regret tous les oignons suspects et paraissant peu fermes au toucher.
Disposer les oignons sur une sorte de claie (un grand panier retourné faisant très bien l'affaire) et les conserver dans un lieu frais, sec et bien aéré.
Vérifier fréquemment l'état des oignons, les retourner et veiller à ce qu'ils soient maintenus à une température constante.
Il faut à tout prix éviter que les oignons, surtout à l'approche du printemps, ne se mettent à germer. Si l'on remarque un début de germination chez un oignon le retirer immédiatement du groupe et l'utiliser s'il est encore bon.
Si on a cueilli les oignons de façon à leur laisser un bout de tige, on peut en faire des chapelets que l'on suspend dans un lieu aéré. On peut ainsi conserver des oignons frais à portée de la main, prêts à l'usage, pendant de longs mois.
Ne jamais mettre ces chapelets d'oignons à la cave, sauf si cette dernière est parfaitement sèche, fraîche et éloignée de toute source de chaleur.

Cornichons aromatisés conservés dans la saumure

Pour remplir vos bocaux il vous faut des cornichons de petite taille, du poivre et du fenouil en grains, des feuilles de laurier et d'estragon, des petits oignons piqués de quelques clous de girofle, quelques gousses d'ail et, bien sûr, le liquide de la saumure qui se prépare comme suit: 1 l d'eau, 100 g de sel et enfin de l'huile d'olive.
Les cornichons doivent être de petite taille, très frais, sains et pourvus d'une chair bien ferme. Les laver

et les essuyer un par un et, tout en procédant de la sorte, faire bouillir l'eau salée.
Laver les feuilles de laurier et d'estragon, piquer les clous de girofle dans les petits oignons préalablement nettoyés.
Aligner les bocaux propres et secs et y mettre une première couche de cornichons, puis une couche de tous les autres ingrédients, puis une autre couche de cornichons et ainsi de suite jusqu'à ce que l'on arrive aux deux tiers du récipient. Verser alors dans les bocaux juste assez d'eau salée bouillante pour laisser un espace d'environ 1 centimètre qui sera réservé à l'huile d'olive.
Attendre que les bocaux soient entièrement froids pour les fermer hermétiquement.
Aligner les bocaux sur une étagère en lieu frais.

Cornichons au vinaigre (Recette n° 1)

Prendre des cornichons de taille moyenne ou grande et s'assurer qu'ils sont bien mûrs et fermes. Eliminer tous ceux qui cèdent à la pression du doigt.
Bien les laver, les essuyer et les couper en tranches d'un ou deux centimètres. Si leur peau est un peu grosse, il est préférable de les éplucher avant de les couper en tranches. Il se peut qu'ils contiennent de grosses graines, si tel est le cas, les enlever avec la pointe d'un couteau.
Afin de les rendre plus digestibles, disposer les rondelles de cornichons sur une assiette et les saupoudrer de sel, puis tenir l'assiette inclinée de sorte que leur liquide s'élimine.
Attendre vingt-quatre heures, puis essuyer les rondelles à l'aide d'un linge propre et les disposer en cou-

ches superposées dans des récipients en verre jusqu'aux trois quarts.
Remplir ces récipients de vinaigre bouillant de très bonne qualité, et laisser refroidir avant de fermer hermétiquement les bocaux.
Pour les cornichons en tranche tout comme pour les très petits cornichons, on peut intercaler entre les différentes couches, de tout petits oignons et quelques grains de poivre.
Conserver les bocaux dans un lieu frais.

Cornichons au vinaigre (Recette n° 2)

Cueillir ou acheter des cornichons lorsqu'ils sont encore tout petits, les nettoyer à l'aide d'un torchon et les mettre à tremper dans un récipient d'eau froide additionnée de vinaigre de bonne qualité (1 litre d'eau pour une cuillerée de vinaigre). Laisser baigner 10 minutes, puis retirer les cornichons et les essuyer un à un à l'aide d'un torchon propre. Déposer les petits cornichons dans le sens de la longueur, dans un récipient en verre possédant une large ouverture. Entre les différentes couches, disposer de tout petits oignons et quelques grains de poivre. Continuer de la sorte jusqu'à ce que l'on arrive aux trois quarts du bocal, verser alors le vinaigre bouillant que l'on aura choisi de première qualité.
Attendre que le vinaigre refroidisse pour fermer hermétiquement le bocal et le ranger dans un lieu frais.

Cornichons au vinaigre (Recette n° 3)

Laver soigneusement de tout petits cornichons puis les essuyer entre deux torchons. Les disposer ensui-

te dans une grande assiette en ayant soin de saupoudrer chaque couche de cornichons d'une bonne quantité de sel.
Puis les disposer en couches dans des bocaux bien secs et d'une extrême propreté. Entre chaque couche ajouter du poivre en grain, de l'estragon et une à deux gousses d'ail émincées.
Verser le vinaigre de façon qu'il atteigne les trois quarts du bocal et recouvre complètement les petits cornichons, puis fermer hermétiquement le bocal.
Conserver les bocaux dans un placard et attendre 1 ou 2 mois avant de les ouvrir.

Coulis de tomates en bocaux stérilisés

Prendre un type de tomates convenant à la confection des sauces. Les choisir bien mûres, mais pas défaites. Les essuyer avec un torchon, puis les plonger dans de l'eau froide et les laisser tremper pendant une heure environ, en renouvelant l'eau à une ou deux reprises. Les rincer ensuite sous le robinet d'eau froide. Les égoutter et les couper en morceaux de la grosseur d'une noix, sans les éplucher.
Les mettre ensuite dans une casserole en verre ou en terre, avec un bouquet garni (persil et feuilles de basilic) et une gousse d'ail (facultative).
Mettre la casserole sur le feu et laisser bouillir lentement pendant environ une heure, en remuant continuellement avec une cuillère en bois pour éviter que la sauce attache au fond du récipient.
On préfèrera, d'une manière générale, les casseroles en terre ou en verre aux casseroles en aluminium, bien qu'elles attachent plus facilement.
On veillera donc à ce que la sauce ne prenne pas,

en cuisant, la désagréable odeur de brûlé des plats qui attachent. Une heure après, retirer l'ail de la sauce, laisser refroidir puis passer à travers un chinois. Verser la purée ainsi obtenue dans des bocaux en verre, ne remplir ceux-ci qu'aux quatre cinquièmes. Stériliser les bocaux, après les avoir entourés de papier journal, dans une grande marmite au fond tapissé d'un torchon replié.
Verser de l'eau dans la marmite sans aller au-delà de quatre doigts au-dessous du col des bocaux et mettre l'ensemble sur le feu. Porter à ébullition, baisser la flamme et laisser bouillir pendant environ 1 heure.
Ne retirer les bocaux de la marmite que lorsque l'eau est froide, les essuyer et verser dans chacun d'eux un doigt d'huile d'olive, puis les fermer hermétiquement.

Courgettes à l'huile

Trier, laver et couper les courgettes de la même manière que pour la préparation des courgettes au vinaigre.
Dans une casserole, verser du vinaigre de vin pur légèrement salé, y ajouter quelques grains de poivre et porter à ébullition.
Verser les courgettes dans le vinaigre assaisonné et les laisser pendant une dizaine de minutes, à feu éteint; puis à l'aide d'une écumoire, retirer les courgettes du liquide et les mettre à égoutter dans une passoire. Les étaler ensuite sur un torchon propre pour qu'elles finissent de sécher à l'air, sans oublier de les retourner souvent.
Quelques heures après, les introduire dans des bo-

caux propres et secs. Remplir ces récipients aux quatre cinquièmes et recouvrir les courgettes d'huile d'olive.
Boucher les bocaux hermétiquement.
Les courgettes à l'huile tout comme les courgettes au vinaigre peuvent servir de garniture aux viandes bouillies ou être mélangées à des salades de pommes de terre, de salsifis, de betteraves, de laitues ou de chicorée.

Courgettes au vinaigre

Choisir des courgettes à écorce verte, de taille moyenne, bien fermes et mûres, en écartant toutes celles qui semblent molles au toucher ainsi que toutes celles qui portent des taches.
Les essuyer une à une à l'aide d'un torchon propre puis les plonger dans une bassine pleine d'eau et les laisser tremper pendant une heure, en renouvelant l'eau une ou deux fois.
Essuyer de nouveau les courgettes une à une pour ôter toute trace de poussière ou d'anticryptogamique.
A l'aide d'un petit couteau, couper les deux extrémités des courgettes, puis les couper en rondelles de 2 centimètres d'épaisseur.
Si les courgettes sont un peu grosses, couper les tranches en deux. Faire bouillir de l'eau dans une casserole, et lorsque le liquide arrive à grande ébullition, éteindre le feu et jeter les courgettes dans l'eau: les laisser pendant une quinzaine de minutes, puis les égoutter dans une passoire.
Pendant ce temps-là, faire bouillir dans une casserole en verre ou en terre, une quantité de vinaigre pro-

portionnelle à la quantité de courgettes dont on dispose. Ajouter du sel et quelques grains de poivre. Maintenir l'ébullition pendant 3 ou 4 minutes.
Dans des bocaux de verre préalablement nettoyés et essuyés, verser les courgettes de manière à remplir les récipients aux trois quarts, puis ajouter le vinaigre tiède sans toutefois remplir entièrement les bocaux: laisser un espace vide d'environ un doigt. Attendre quelques heures pour que le liquide refroidisse entièrement et recouvrir alors la surface de la préparation d'un filet d'huile d'olive, puis boucher hermétiquement les bocaux.

Ecorces de melon [1] confites dans du vinaigre

Les écorces de melon confites dans du vinaigre constituent, seules ou accompagnées d'autres conserves au vinaigre, d'excellentes garnitures pour toutes les viandes bouillies.
Choisir des melons à l'écorce lisse, les couper en tranches et en ôter l'écorce (ces melons seront mangés normalement à l'état frais).
A l'aide d'un petit ustensile à éplucher les pommes de terre, enlever la partie la plus dure de l'écorce. On n'utilisera que la partie intérieure de l'écorce plus verte que la chair du melon. Tailler cette partie en petits dés.
Préparer une marmite d'eau bouillante légèrement salée, y jeter les petits morceaux d'écorce de melon et les laisser 5 minutes. Puis, à l'aide d'une écumoi-

[1] Le melon, tout comme la tomate, est un fruit, mais son mode de conservation, très voisin de celui des légumes, ainsi que son utilisation en cuisine lui ont valu une place dans ce livre.

re, les retirer de l'eau et les mettre à égoutter dans une passoire.
Pendant ce temps-là, faire bouillir, dans une marmite en terre, en verre ou en fer émaillé sans éraflures, autant de vinaigre qu'il en faudra pour remplir les bocaux que l'on désire préparer.
Dans le vinaigre, verser, pour chaque litre: 100 grammes de sucre, une pincée de sel, une pincée de cannelle, 3 clous de girofle et 4 ou 5 grains de poivre. Laisser bouillir quelques minutes, puis, avec une écumoire, éliminer tous les aromates (facultatif), et verser dans le liquide les petits cubes d'écorce de melon.
Laisser bouillir 2 minutes, retirer la marmite du feu, et attendre que le tout tiédisse. Répartir alors les écorces de melon et le liquide de cuisson dans des bocaux de verre.
Fermer hermétiquement les récipients et les ranger dans un garde-manger.

Estragon au vinaigre

L'estragon est une petite plante qui pousse en buissons dans la nature, mais que vous pouvez cultiver dans votre jardin, sur votre balcon ou sur le rebord de votre fenêtre. On l'emploie pour préparer des sauces, des vinaigres aromatisés ou comme assaisonnement de salade fraîche.
On l'utilise le plus souvent à l'état frais, mais on peut aussi le conserver dans du vinaigre.
Choisir une cinquantaine de belles feuilles d'estragon, bien fraîches, sans taches, ôter les pédoncules et jeter les feuilles dans une cuvette remplie d'eau froide. Laisser tremper une heure environ en chan-

geant deux fois l'eau. Faire ensuite égoutter, puis sécher les feuilles, étalées sur un torchon, en les retournant de temps à autre.
Recueillir les feuilles d'estragon dans un tamis muni d'un manche et les maintenir ainsi quelques instants dans une casserole où l'eau bout.
Passer ensuite le tamis sous un jet d'eau froide, égoutter et verser les feuilles dans un ou plusieurs récipients en verre propres et secs.
Verser un demi-litre de vinaigre de vin pur (blanc de préférence) dans une casserole en verre, y ajouter 30 g de sel et faire bouillir quelques minutes. Attendre qu'il soit complètement froid pour le verser dans les bocaux contenant les feuilles d'estragon. Fermer les bocaux hermétiquement avant de les ranger. N'ouvrir le premier bocal qu'un mois, au moins, après la date de préparation.

Extrait de champignons

Pour cette recette, plus encore que pour tout autre, s'assurer de la parfaite comestibilité des champignons utilisés car, dans un extrait, la toxicité a tendance à se concentrer et l'on imagine aisément les risques encourus si un champignon vénéneux venait à se glisser parmi les autres.
Cueillez tout de même vos champignons, si vous le désirez, mais n'oubliez pas de les faire examiner par une personne compétente, ou demandez conseil à votre pharmacien.
Cette garantie vous étant apportée, vous pouvez vous mettre à l'ouvrage.
Etaler, tout d'abord, les champignons sur un torchon, puis les nettoyer avec le plus grand soin, en élimi-

nant leur partie sableuse et en les râclant avec un petit couteau. S'ils sont vraiment très sales, les mettre à tremper dans une cuvette d'eau, en renouvelant cette dernière une ou deux fois.
Les laisser ensuite égoutter, puis les hacher et les verser, additionnés d'un peu de sel, dans une casserole non métallique. Laisser cuire à feu très doux. En cours de cuisson, les champignons émettent un liquide particulier. Enlever ce liquide à l'aide d'une écumoire et le mettre de côté après l'avoir passé dans un chinois. Laisser cuire les champignons.
Compter environ deux heures et demie de cuisson pour que le jus de 3 kilos de champignons soit entièrement récupéré.
Eteindre alors le feu et verser les champignons restants dans le chinois, presser le tout pour qu'il en sorte le plus de jus possible. Laver la casserole et y remettre le jus extrait des champignons. On peut, à ce moment-là, ajouter tous les aromates que l'on désire: ail, thym, marjolaine, baies de genièvre, clous de girofle, feuilles de laurier, et tout ou partie d'un zeste de citron, selon les goûts.
Il est cependant préférable d'avoir la main légère ou bien de renoncer complètement à l'adjonction de tout aromate, si l'on veut conserver intacte l'incomparable saveur des champignons. Replacer la casserole sur le feu, et porter très lentement à ébullition, de sorte que l'extrait de champignons réduise, devienne dense, sombre et liquoreux.
Entre-temps, préparer des bocaux, ceux-ci doivent être très propres, comme toujours. Les disposer dans une marmite contenant de l'eau froide. Verser dans les bocaux, l'extrait de champignons encore chaud. Les bocaux restant découverts, on veillera à ce que l'eau contenue dans la marmite n'aille pas au-delà

de trois doigts au-dessous de leur col, afin d'éviter qu'en cours d'ébullition l'eau pénètre dans les bocaux.
Mettre la marmite sur le feu, porter très lentement à ébullition et laisser bouillir pendant un quinzaine de minutes sur une très petite flamme. Attendre que l'eau refroidisse entièrement pour sortir les bocaux de la marmite. Les essuyer à l'extérieur, puis les fermer hermétiquement et les ranger dans un garde-manger.
Un peu d'extrait de champignons, utilisé avec parcimonie, donnera plus de saveur à un plat de pâtes ou de riz.

Haricots conservés dans du beurre

Choisir des haricots très tendres et sans fils, les éplucher et ôter les deux extrémités. Mettre les haricots ainsi préparés dans un panier à salade, les plonger dans une marmite contenant de l'eau en ébullition légèrement salée et les laisser 10 minutes. Bien égoutter puis laisser sécher à l'air pendant environ une demi-heure.
Disposer les haricots dans un ou plusieurs bocaux de verre munis d'une large ouverture et les recouvrir entièrement d'une grande quantité de beurre fondu, tiède.
Laisser refroidir et fermer le bocal hermétiquement. Conserver les récipients dans un lieu très frais (si possible à la cave) pour éviter que le beurre ne rancisse.
Avant utilisation, faire revenir les haricots dans leur jus de conservation et ajouter, si nécessaire, un autre petit morceau de beurre.

Les haricots verts ainsi préparés peuvent accompagner tout type de viandes.

Haricots conservés dans la saumure

Se procurer de gros haricots blancs communément désignés par le nom de haricots-beurre.
Les éplucher, ôter les deux extrémités, les laver, les mettre dans de l'eau bouillante pendant une quinzaine de minutes, puis les faire sécher sur un torchons et les retourner souvent.
Une fois qu'ils sont débarrassés de toute leur eau, les disposer dans un ou plusieurs bocaux à large ouverture. Ne remplir ces récipients qu'aux trois quarts. Ajouter du gros sel, à raison de 80 grammes par kilo de haricots, puis remplir les bocaux d'une eau préalablement bouillie puis refroidie.
Fermer hermétiquement les bocaux et les ranger à la cave.
Pour dessaler les haricots avant l'emploi, les immerger dans de l'eau bouillante et attendre que celle-ci tiédisse. Retirer alors les haricots, les égoutter, les passer encore sous le robinet, égoutter de nouveau. Si les haricots sont fermes, les faire cuire dans du beurre, ou bien les faire bouillir et les servir comme garniture d'un plat de viande.

Haricots mange-tout conservés dans du vinaigre

Pour exécuter cette recette, choisir de beaux haricots mange-tout, ces derniers étant moins aqueux que les autres.
Oter les deux extrémités et retirer les fils. Bien les

laver puis les plonger dans une casserole contenant suffisamment d'eau légèrement salée, pour qu'ils se trouvent recouverts. Les porter à mi-cuisson, puis les égoutter immédiatement. Les laisser sécher bien à plat, sur un torchon, en les retournant aussi souvent que possible afin qu'ils éliminent bien toute leur eau de cuisson.
Choisir des bocaux de verre très larges, et disposer les haricots horizontalement, en intercalant des aromates entre chaque couche.
Choisir des feuilles de basilic et de marjolaine, un petit morceau de feuille de laurier, une échalote fraîche coupée en fines lamelles, des grains de poivre noir et 3 ou 4 clous de girofle, une ou deux pincées de sel.
Pendant ce temps porter à forte ébullition du vinaigre de vin blanc pur, puis le laisser refroidir complètement et le verser dans les bocaux de manière à recouvrir tous les haricots. Laisser suffisamment d'espace pour un doigt d'huile d'olive, fermer hermétiquement les bocaux et les ranger dans un endroit frais.

Haricots séchés

On peut soumettre à la dessication toutes sortes de haricots: haricots verts extra-fins, haricots verts "princesse", haricots blancs mange-tout. Il est cependant recommandé de ne pas mélanger ces différents types de haricots dans les mêmes bocaux.
Eplucher les haricots, en ôter les deux pointes, les laver et les faire blanchir de la manière habituelle (voir petits pois) sans oublier que les haricots fins n'ont besoin que de 5 minutes de blanchiment alors que les autres demandent 20 à 30 minutes.

Les retirer ensuite du récipient d'eau bouillante, les faire égoutter, puis les étaler sur un torchons propre pour qu'ils sèchent à l'air, en les retournant souvent. Peser les haricots et les mettre sur une plaque allant au four. Chauffer le four au maximum, l'éteindre et enfourner la plaque.
Attendre que le four refroidisse et retirer les haricots.
Les peser. Si l'on avait 1 kilo de haricots frais il faudra avoir 120 grammes de haricots séchés. Si ce poids n'est pas atteint, répéter l'opération de séchage au four.
Conserver les haricots séchés dans des sachets en papier ou dans des bocaux bien secs, placés dans un endroit chaud et sec.
S'assurer de temps en temps que les haricots n'ont pas besoin d'être remis à sécher. Toute humidité provoquerait l'apparition d'une désagréable odeur de moisi.
Lorsque le moment est venu d'utiliser les haricots séchés, les faire tremper dans une casserole d'eau froide pendant 12 heures environ. Les accommoder ensuite comme on le désire.

Haricots verts au naturel (Haricots fins)

Les haricots verts fins doivent être très frais et, si possible, juste cueillis. Les nettoyer, ôter les deux extrémités, les laver à l'eau courante et les faire blanchir dans de l'eau bouillante, selon la méthode décrite pour les petits pois, en comptant un trempage de 5 minutes par kilo.
Egoutter, et disposer les haricots dans des bocaux, en remplissant ces derniers aux trois quarts. Dispo-

ser ensuite les récipients dans une grande marmite (une lessiveuse ou un stérilisateur) contenant de l'eau et des linges destinés à empêcher que les bocaux de verre ne s'entrechoquent (cf. petits pois au naturel). Porter l'eau à ébullition et laisser bouillir une trentaine de minutes, puis éteindre la flamme et laisser refroidir les bocaux avant de les fermer hermétiquement. Choisir, pour les haricots verts, des bocaux à large ouverture.

Herbes aromatiques séchées

Toutes les herbes aromatiques ne conservent pas intact leur incomparable parfum une fois séchées, mais elles n'en rendent pas moins d'appréciables services, lorsque les herbes fraîchement cueillies viennent à manquer.
Il ne faut pas cueillir les herbes aromatiques lorsqu'elles sont en fleurs. On ne choisit que des feuilles fraîches, propres et sans taches.
La sauge et le romarin ne posent aucun problème: il suffit de les laisser sécher au soleil puis de les enfermer dans des sachets en papier pour qu'ils conservent, intact, leur arôme.
Le persil, en revanche, perd toute odeur une fois séché. On ne fera donc aucune tentative dans ce sens. On trouve d'ailleurs cette plante en toute saison chez le marchand de légumes. Toutefois, lorsqu'on a acheté du persil, il convient de le nettoyer puis de le faire sécher sur un torchon et de l'enfermer dans une boîte en plastique à fermeture hermétique que l'on place ensuite dans le réfrigérateur. Vérifier de temps en temps le degré d'humidité régnant dans la boîte et faire de nouveau sécher le persil,

si nécessaire. Refermer la boîte et la remettre en place.

Un tel système permet de conserver le persil frais et parfumé pendant de nombreuses semaines.

On trouve l'origan dans le commerce sous diverses présentations, séché et prêt à l'usage.

On cueille le thym et le romarin lorsqu'ils ne sont pas en fleurs. On détache les pédoncules des feuilles et l'on met ces dernières à sécher au soleil. Si le soleil fait défaut on introduit dans le four tiède (mais éteint) une plaque sur laquelle on a disposé les feuilles, puis on enferme ces dernières dans des sachets en papier.

Il en va de même pour le basilic et la menthe.

Nous n'avons mentionné que les sachets en papier: ceux-ci constituent, en effet, les emballages les plus sûrs pour la conservation des herbes aromatiques séchées.

Les sachets en plastique qui emmagasinent l'humidité sont à exclure.

On peut cependant, si on le désire, conserver les herbes aromatiques séchées, entières ou émiettées entre les doigts, dans des bocaux en verre, à condition, évidemment, que ceux-ci soient parfaitement propres et secs.

On met chaque type d'herbe dans un bocal différent et on colle ensuite une étiquette portant le nom du contenu.

Rappelons que pour éviter que l'étiquette ne se salisse en cours des manipulations, on peut, après l'avoir collée sur le bocal, la recouvrir d'une couche de vernis à ongle incolore.

Mettre sachets et bocaux dans un endroit sec et frais, en se méfiant toujours beaucoup de la cave.

Ne pas oublier de vérifier de temps à autre l'état du contenu des récipients.

Moutarde aromatisée

Couper en très petits morceaux 15 g de chacune des plantes aromatiques suivantes (à l'état frais): persil, céleri, oignon, ail, thym, marjolaine, romarin, sarriette, et les verser dans un bocal; ajouter 15 g de poivre moulu, 15 g de noix muscade râpée, 15 g de cannelle en poudre et un clou de girofle écrasé. Bien mélanger le tout et y ajouter suffisamment de vinaigre pour que l'ensemble soit recouvert.
Fermer le bocal et laisser macérer pendant 2 semaines, sans oublier de secouer le bocal tous les jours.
Lorsque les deux semaines sont écoulées, passer la préparation à travers un chinois, mettre le vinaigre de côté et piler le reste dans un mortier (si l'on ne possède pas de mortier, un mixer fera très bien l'affaire: ne battre que quelques instants).
Verser le mélange dans une assiette creuse et ajouter suffisamment de moutarde en poudre très fine et de vinaigre pour obtenir une pâte dense et consistante. Mélanger avec soin et ajouter encore un peu de vinaigre. Lorsque la sauce devient sirupeuse, y ajouter 35 g d'huile d'olive et 65 g de sel de cuisine. Mélanger le tout puis verser la sauce ainsi obtenue dans le bocal propre et sec. Boucher hermétiquement.
On peut utiliser cette sauce immédiatement, si on le désire, pour accompagner la viande bouillie.
La moutarde favorise la sécrétion de suc gastrique, mais il est recommandé de ne pas en abuser sous peine de donner lieu à de regrettables inflammations de l'appareil digestif.

Olives conservées dans la saumure

Retirer les queues de 2 kilos d'olives vertes, bien mûres, fermes et dépourvues de toute tache ou autre impureté. Les mettre à tremper pendant une quarantaine de jours dans une bonne quantité d'eau froide, renouvelée quotidiennement.
Au bout de quarante jours, préparer la saumure. Dans une grande marmite verser 5 litres d'eau, 350 g de sel de cuisine, 2 feuilles de laurier, 1 pincée de coriandre, 10 feuilles de basilic frais, 2 baies de genièvre écrasées. Laisser bouillir cette préparation pendant dix minutes, puis la retirer du feu et la laisser refroidir. La passer puis la filtrer de façon à la rendre plus limpide, en utilisant une passoire puis un papier filtre.
Remplir d'olives des bocaux préalablement lavés et séchés avec soin, aux trois quarts de leur hauteur. Répartir ensuite le liquide aromatisé dans les bocaux de façon à recouvrir entièrement les olives. Fermer ensuite les bocaux hermétiquement et les ranger dans un lieu frais et sec.
On peut consommer les olives 2 mois environ après leur mise en saumure.

Olives à l'huile (Recette n° 1)

Trier et nettoyer 3 kilos d'olives vertes, mûres et fermes, en écartant sans hésitation toutes celles qui sont molles ou abîmées.
Plonger les olives dans un récipient contenant une bonne quantité d'eau froide et les y laisser pendant quelques heures en changeant l'eau une ou deux fois.

Les égoutter puis les étaler bien à plat et les laisser sécher à l'air avant de les essuyer entre deux torchons de cuisine.
Mettre dans un grand récipient en verre ou en terre cuite toutes les olives ainsi qu'une grosse poignée de gros sel, 3/4 d'un verre d'eau, 3 feuilles de laurier, 1 petite cuillerée de graines de fenouil, une gousse d'ail (facultative) et les y laisser pendant deux semaines. Couvrir le récipient et ne pas oublier de bien l'agiter deux fois par jour.
Au bout de deux semaines, égoutter les olives puis les étaler au soleil pour les faire sécher, sur un torchon propre. Les retourner de temps en temps.
Le séchage au soleil demandant un certain temps, et le ramassage des olives s'effectuant en hiver, la meilleure solution consiste à les faire sécher sur la plaque d'un four tiède, sans oublier toutefois qu'elles doivent simplement sécher et non se dessécher complètement.
Si l'on dispose d'un grand bocal en verre propre et sec, on y verse toutes les olives et on les recouvre ensuite d'un peu d'huile de bonne qualité.
Bien remuer et ne plus ajouter d'huile car les olives doivent rester à peine moelleuses.
L'ail n'est pas obligatoire, on peut ajouter dans le bocal une gousse épluchée, après avoir mélangé les olives. L'ail confère aux olives une saveur forte qui ne convient pas à tout le monde.

Olives à l'huile (Recette n° 2)

Trier les olives, les laver longuement à l'eau courante, les essuyer entre deux torchons, puis les piquer une à une avec une grosse aiguille, en plusieurs points.

Les verser ensuite dans un grand bocal préalablement lavé et essuyé avec soin, et y ajouter quelques poignées de gros sel.
Les laisser macérer quelques jours. Une fois par jour, secouer le bocal, puis en couvrir l'ouverture avec la paume de la main et le retourner sur l'évier en laissant s'écouler entre les doigts, le liquide dégorgé par les olives sous action du sel.
Lorsqu'il ne sortira plus d'eau, enlever les olives de leur récipient, les laver longuement, et les étaler sur un chiffon propre pour les faire sécher à l'air pendant quelques heures, en les retournant de temps en temps, puis, avec un autre torchon, finir de les essuyer et les remettre dans leur bocal, soigneusement lavé, rincé et séché.
Ajouter 5 à 6 grains de poivre et 2 clous de girofle, remuer avec une cuillère en bois, puis recouvrir les olives d'autant d'huile d'olive qu'il en faut pour qu'elles soient entièrement submergées.
Utiliser les olives 2 mois après leur préparation. On peut utiliser l'huile qui, éventuellement, resterait après que toutes les olives ont été employées pour assaisonner les salades.

Olives séchées

Choisir des olives noires parfaitement mûres et saines, non tachées. Les débarrasser de toute impureté, les laver, les essuyer entre deux torchons puis les mettre à sécher au soleil.
A défaut de soleil, les faire sécher dans un four tiède.
Lorsqu'elles sont sèches, les répartir en couches superposées dans des bocaux préalablement bien la-

vés et essuyés. Entre chaque couche, mettre une pince de gros sel, des feuilles de marjolaine effritées, des graines de fenouil et quelques morceaux de feuilles de laurier.
Avant de fermer hermétiquement le bocal, appliquer sur la dernière couche d'olives, une rangée de feuilles de laurier entières.
Conserver dans un endroit sec et frais, sans oublier que les olives ne doivent pas demeurer trop longtemps dans les bocaux, sous peine de prendre une saveur rance. La préparation ayant lieu en novembre ou décembre, les olives doivent être consommées avant la fin du mois d'avril.

Petits melons au vinaigre

Cette recette revêt un intérêt tout particulier pour les personnes désireuses d'utiliser d'une part les petits melons à peine formés, lorsque ceux-ci sont éliminés des plantations pour permettre aux autres de se développer, d'autre part, les melons trop tardifs qui ne peuvent arriver à complète maturation.
Eplucher ces melons: ils ont une chair verte, plutôt dure et aigre. Les couper en tranches, en ôter les graines et les. filaments. Couper ensuite ces tranches en quartier, en dés ou en lamelles. Faire bouillir, entre-temps, suffisamment de vinaigre de vin blanc très pur pour pouvoir recouvrir entièrement les morceaux de melons une fois que ceux-ci auront été placés dans les bocaux.
Ajouter à ce vinaigre autant d'aromates qu'on le désire (de la cannelle, des clous de girofle, etc.) et laisser bouillir quelques minutes.
Ebouillanter la chair des petits melons (une minute, pas plus).

Plutôt que de verser les morceaux de melons directement dans l'eau bouillante, les placer au préalable dans un panier à salade, puis les immerger pendant une minute. Retirer le panier à salade du liquide et laisser égoutter. Etaler ensuite les petits morceaux de melons sur un torchon sec et les laisser un moment à l'air, puis remplir aux trois quarts un ou plusieurs bocaux de verre de ces morceaux et combler l'espace vide avec le vinaigre aromatisé.
Attendre que les bocaux soient entièrement refroidis (cela prendra quelques heures), puis les fermer hermétiquement, les étiqueter et les ranger dans un lieu frais et sec.
Les petits melons au vinaigre peuvent être soit mélangés à une jardinière, soit utilisés tels quels comme garniture de pot-au-feu.

Note. Lorsque les melons sont réellement très petits et possèdent une écorce encore tendre, on peut les frotter soigneusement à l'aide d'un torchon propre, les laver, les essuyer et les mettre entiers, dans du vinaigre selon le procédé indiqué ci-dessus.

Petits oignons conservés dans l'huile

Utiliser pour cette recette, tout comme pour les précédentes, des oignons parfaitement frais et aussi petits que possible.
Les ébouillanter très légèrement pour en faciliter l'épluchage et en ôter les toutes premières feuilles lorsque cela s'avère nécessaire.
Verser dans une casserole non métallique autant de vinaigre qu'il en faudra ensuite pour recouvrir tous les oignons, ainsi qu'une grosse pincée de sel.

Porter à ébullition une minute et jeter les oignons dans le liquide bouillant; laisser à peine cuire.
Mettre les oignons à égoutter et les laisser refroidir.
On peut, si on le désire, recueillir le vinaigre qui s'écoule des oignons, dans une assiette creuse, et le mettre en bouteille en prévision de futurs assaisonnements de salades.
Lorsque les oignons seront complètement froids, les verser dans des récipients parfaitement lavés et essuyés. Ne remplir les récipients qu'aux trois quarts et ajouter suffisamment d'huile pour que les petits oignons soient entièrement recouverts.
Fermer hermétiquement les bocaux et les ranger dans un garde-manger.
Laisser passer au moins un mois avant d'ouvrir le premier bocal.

Petits oignons au vinaigre (Recette n° 1)

Choisir de très petits oignons de même dimension, ayant tout au plus la taille d'une noix. Les laver, les essuyer, puis les disposer sur une plaque allant au four (ce dernier étant à peine tiède); mettre au four pendant deux heures.
Ce laps de temps écoulé, laisser refroidir les oignons jusqu'au lendemain, puis en ôter les premières feuilles, celles qui sont les plus épaisses. Cela permet, en l'occurrence, d'échapper à la corvée de l'épluchage des oignons qui provoque souvent beaucoup de pleurs.
Laver, ou mieux, faire bouillir des bocaux en verre, les essuyer consciencieusement et les laisser quelques heures à l'air, puis y introduire les petits oignons préparés de la façon indiquée ci-dessus de

manière à remplir les récipients aux deux tiers. Saupoudrer les oignons de sel au fur et à mesure de leur mise en bocal.
Faire bouillir une quantité suffisante de pur vinaigre de vin blanc. Au cours de l'ébullition, ajouter une cuillerée de sucre par litre de vinaigre, un soupçon de cannelle, 3 ou 4 clous de girofle, quelques grains de poivre noir et un petit bout de feuille de laurier. Maintenir l'ébullition pendant 2 minutes environ, puis laisser refroidir complètement avant de passer le liquide de manière à en éliminer tous les ingrédients.
Verser le vinaigre dans les bocaux de sorte que les oignons soient entièrement recouverts, tout en laissant un espace d'un centimètre environ pour l'huile d'olive que l'on ajoutera avant de fermer les bocaux. Ranger ces conserves dans un endroit frais.

Petits oignons au vinaigre (Recette n° 2)

Prendre un kilo de très petits oignons, les ébouillanter très rapidement pour en faciliter l'épluchage, puis les laisser mariner toute une journée dans une quantité suffisante d'un excellent vinaigre additionné d'une grosse pincée de sel, en veillant à ce que tous les oignons soient bien recouverts. Les proportions utilisées sont de l'ordre d'un litre et demi de vinaigre pour un kilo d'oignons. Verser ensuite le tout dans une casserole non métallique et faire bouillir quatre minutes.
Mettre les oignons à égoutter et les laisser refroidir. Pendant ce temps, utiliser la même casserole, après l'avoir rincée, pour faire bouillir un autre litre de vinaigre mélangé à un litre d'eau. Ajouter à ce mélan-

ge le jus de trois citrons, deux cuillerées de sucre et quelques grains de poivre. Faire bouillir deux minutes, enlever le poivre à l'aide d'une écumoire et laisser refroidir le liquide.
Préparer des bocaux, ceux-ci devant être, comme de coutume, parfaitement propres et secs, et y verser une quantité suffisante d'oignons pour qu'ils se trouvent aux trois quarts remplis. Combler le vide avec le vinaigre bouilli. Attendre une journée avant de fermer hermétiquement les bocaux, puis les ranger dans un placard.
On peut commencer à consommer les petits oignons ainsi conservés un mois après leur préparation.

Petits oignons au vinaigre (Recette n° 3)

On a ici le choix entre de très petits oignons qu'on laisse entiers et de plus gros oignons aplatis aux deux extrémités que l'on coupe en morceaux. Dans un cas comme dans l'autre, il faut éliminer la partie extérieure dure de l'oignon.
Plonger ensuite les oignons dans de l'eau froide et les y laisser pendant une petite heure pour qu'ils se lavent bien. Les mettre ensuite à égoutter puis les verser dans une casserole non métallique, accompagnés des ingrédients suivant.
Pour 1 kilo d'oignons: une quantité suffisante de vinaigre de vin blanc très pur pour que les oignons soient entièrement recouverts, 1 cuillerée à café de sel, 1 clou de girofle, un petit morceau de cannelle, un soupçon de poivre, i feuille de laurier.
Cuire les oignons de façon qu'ils restent fermes puis retirer la casserole du feu, ôter la feuille de laurier,

mettre les oignons à égoutter, puis les laisser refroidir avant de les répartir dans des bocaux en verre, préalablement lavés et essuyés. Les bocaux doivent être remplis aux deux tiers, puis ajouter du vinaigre froid. Fermer enfin les bocaux hermétiquement.
Le premier bocal peut être ouvert un mois et demi, environ, après la mise en conserve.

Petits pois au naturel

Pour cette préparation, choisir des petits pois tendres et de petite taille. Ecarter toutes les cosses rebondies, contenant de trop gros pois, trop développés et pourvus d'une enveloppe dure.
Ecosser les petits pois et les verser dans un panier à salade ou dans tout autre type de panier servant habituellement à la cuisson à la vapeur.
Faire bouillir dans une grande marmite suffisamment d'eau pour contenir le panier rempli de petits pois. Lorsque l'eau arrive à ébullition, éteindre le feu et immerger les petits pois pendant 6 à 7 minutes, au plus.
Bien égoutter les petits pois et les laisser sécher à plat, sur un linge propre pendant une dizaine de minutes, puis les verser directement dans le bocal de conservation sans adjonction de sel.
Le bocal doit être muni d'un système de fermeture hermétique comportant, au besoin, un joint de caoutchouc destiné à renforcer l'isolation.
Avant de fermer le bocal, le placer à la verticale dans une marmite contenant de l'eau et de la paille ou des torchons entortillés de manière à maintenir le bocal bien droit.
Il est bon, lorsqu'on procède à cette opération, d'es-

sayer de réunir plusieurs bocaux de petits pois dans une seule et même grande marmite. Allumer le feu et porter l'eau à ébullition; la maintenir ainsi pendant 40 à 60 minutes lorsqu'on utilise des bocaux d'un demi-litre, et pendant 1 heure et demie pour des bocaux d'un litre.
Ce temps étant écoulé, éteindre la flamme et attendre que l'eau et les bocaux tiédissent.
La stérilisation est terminée.
Fermer les bocaux hermétiquement et couler un peu de cire chaude autour du couvercle pour faire obstacle à toute pénétration de l'air. On peut remplacer la cire chaude par un ruban adhésif.

Piments conservés dans du vinaigre

Ne choisir que des piments fins, fermes, piquants, mûrs et ne présentant aucune altération. Bien les nettoyer, en veillant à ne pas les rompre. Couper une grande partie du pédoncule, avec une paire de ciseaux ou un petit couteau, toutefois en laisser un morceau. Disposer ensuite les piments sur un claie ou sur un torchon et les laisser sécher au soleil pendant deux jours de suite, en les retournant de temps en temps.
Préparer des bocaux de verre très propres et secs, comme il se doit, et y coucher les piments tout en saupoudrant chaque couche d'une bonne pincée de sel fin.
Pendant que l'on procède à cette opération, porter à ébullition une quantité adéquate de vinaigre de vin pur puis le verser, encore bouillant, dans les bocaux contenant les piments. Ne remplir ces récipients qu'aux trois quarts.

Si les piments remontent à la surface, couvrir la dernière couche d'un poids qui peut être soit un simple caillou bien propre, soit un caillou enveloppé d'un sachet de plastique.
Laisser refroidir le contenu des bocaux pendant une journée entière avant de procéder à la fermeture hermétique de ceux-ci.
Au bout de deux semaines environ, ouvrir les bocaux, et substituer au vinaigre qu'ils contiennent du vinaigre non cuit, remettre le poids en place et fermer hermétiquement les bocaux avant de les ranger.
On peut commencer à consommer les piments ainsi préparés 2 mois environ après leur mise en conserve. Si l'on n'ouvre pas les bocaux, les piments peuvent se maintenir en parfait état pendant deux ans.

Piments séchés

Cueillir tout d'abord des piments très mûrs, en grappes ou en rameaux. Les nettoyer ensuite un à un, à l'aide d'un chiffon, pour éliminer toute trace de produit chimique ou autre. Les attacher avec une cordelette ou un brin de raphia de manière à former des colliers que l'on suspend ensuite au soleil pour qu'ils sèchent bien.
Si l'on ne peut pratiquer la dessication de cette façon, faute de soleil, on peut toujours allumer son four, le laisser tiédir, et l'éteindre avant d'y introduire les piments par petites quantités. On retire les piments lorsque le four est froid, et si la dessication n'a pas eu lieu complètement, on répète l'opération.
Suspendre ensuite les piments dans un endroit frais et aéré, en s'assurant souvent qu'un brusque change-

ment de température ne les a pas ramollis. Si tel est le cas, les remettre à four tiède.
Avant d'utiliser les piments, les frotter de nouveau un à un avec un linge propre pour en ôter la poussière, puis les piler.
Les piments ainsi préparés permettent de relever les sauces tomate accompagnant les pâtes ou le riz, et toutes les sauces en général; on peut aussi les utiliser pour assaisonner viandes et salades.

Poivrons crus conservés dans du vinaigre

Choisir 3 kilos de poivrons mûrs à point, fermes, sans taches ni moisissures. Pour cette recette on utilise indifféremment des poivrons rouges, verts, jaunes, doux ou piquants.
Les laver soigneusement alors qu'ils sont encore entiers, les essuyer avec un chiffon propre, puis les ouvrir à la main. Ne pas utiliser de couteau, cela est très important. Oter les filaments, les graines et le pédoncule et faire en sorte que les morceaux de poivrons soient taillés dans le sens de la longueur. Les mettre ensuite dans un saladier. Entre-temps, faire bouillir dans une casserole de verre ou de terre, 1 litre et demi de vinaigre de vin pur très fort, additionné de 120 g de sucre et de 120 g de sel de table. Laisser bouillir 1 minute et, si tous les ingrédients contenus dans le vinaigre sont bien dissous, recouvrir les poivrons du liquide bouillant obtenu et laisser refroidir complètement le tout.
Préparer alors des bocaux parfaitement propres et secs. Donner la préférence à des bocaux pourvus d'une ouverture large et d'un système de fermeture à étrier.

Coucher les morceaux de poivrons dans les bocaux à l'aide d'une cuillère, et les disposer ainsi, l'un sur l'autre, en veillant à ce qu'ils soient entièrement recouverts de vinaigre. Laisser un espace d'un doigt pour pouvoir ajouter à la préparation décrite ci-dessus un filet d'huile d'olive.
Fermer hermétiquement les bocaux et les tenir dans un endroit très frais.
On peut commencer à consommer ces poivrons au bout d'un mois. Les poivrons ainsi conservés gardent longtemps leur goût et leur parfum.

Poivrons en bocaux stérilisés

Les poivrons convenant le mieux à ce genre de préparation sont gros, charnus, mûrs et non flétris, doux ou piquants.
Bien les laver, puis les passer, entiers, à la flamme de façon à faciliter l'élimination de la petite peau qui les recouvre. On peut aussi, si on le désire, les faire revenir dans un peu d'huile avant de procéder à l'épluchage.
Couper les poivrons en larges bandes et les débarrasser de leur pédoncule, de leurs graines et de leurs filaments.
Les verser ensuite dans une grande poêle avec une quantité suffisante d'huile d'olive, et, pour 1 kilo de poivrons: un petit oignon finement haché, une ou deux cuillerées à soupe de persil haché, ainsi que 200 grammes de tomates pelées et du sel.
Faire revenir à part, dans un peu d'huile, oignon, persil et tomates.
Retourner souvent les poivrons pendant qu'ils cuisent lentement dans l'huile et n'ajouter la sauce, préparée séparément, qu'à mi-cuisson.

Remuer, goûter pour juger de la quantité de sel, et en rajouter si nécessaire. Laisser cuire lentement jusqu'à cuisson complète.
Eteindre le feu et transvaser directement les poivrons chauds, tels quels, dans des bocaux de verre préalablement lavés et séchés. Ne remplir ces récipients qu'aux quatre cinquièmes.
Disposer les bocaux dans une marmite contenant de l'eau froide. Faire en sorte que l'eau ne pénètre pas dans les bocaux contenant les poivrons et allumer le feu. Celui-ci doit être très doux.
Attendre que l'eau soit portée à ébullition et faire cuire une vingtaine de minutes avant d'éteindre la flamme. Laisser ensuite l'eau refroidir entièrement et extraire les bocaux de la marmite. Les essuyer à l'extérieur, les fermer hermétiquement puis les ranger dans un endroit frais.
Faire légèrement revenir les poivrons, tout comme les carottes dans un peu d'huile, avant de les servir comme garniture pour toute sorte de viande.

Poivrons desséchés au vinaigre

Il s'agit, sans doute, de la recette la plus connue en matière de conservation de poivrons au vinaigre.
Prendre de beaux poivrons rouges et jaunes. Choisir ceux qui sont très fermes, sans taches et qui ont atteint un bon degré de maturité.
Après les avoir soigneusement nettoyés à l'aide d'un linge propre, de manière à les débarrasser de toute trace de poussière ou d'anticryptogamique, les laisser tremper une journée entière dans de l'eau froide. Renouveler l'eau à plusieurs reprises. Retirer les poivrons du récipient et les essuyer un à

un très soigneusement. Les étaler ensuite sur une table de bois ou sur un treillis d'osier, puis les recouvrir d'une légère gaze et les laisser se flétrir au soleil.
Après environ 3 ou 4 jours d'exposition au soleil, les poivrons sont prêts à être mis dans un récipient en verre, pointe en bas, et pédoncule en haut.
Dans une marmite en terre ou en verre, faire bouillir un vinaigre de vin pur très fort et une quantité égale d'eau, en proportion du nombre de poivrons dont on dispose. Y ajouter autant d'aromates qu'on le désire (par exemple: 1 feuille de laurier, quelques grains de poivre, etc.). Retirer ces aromates à l'aide d'une écumoire, après que le liquide a bouilli 1 ou 2 minutes.
Eloigner la marmite du feu et attendre que le vinaigre soit complètement refroidi avant de le verser sur les poivrons, qui sont disposés en couches, pédoncule dirigé vers le haut jusqu'aux trois quarts du récipient. Il faut que les poivrons soient entièrement recouverts de vinaigre. Fermer hermétiquement le bocal (ou les bocaux) et le tenir dans un endroit frais et sec.
On peut commencer à ouvrir les bocaux deux mois environ après la mise en conserve. Les poivrons séchés au vinaigre peuvent être utilisés comme garniture de toutes sortes de viandes bouillies ou grillées. Au moment de servir, on extrait les poivrons à consommer, on les passe sous un jet d'eau courante, on retire leur pédoncule et on les coupe en lamelles, sans oublier d'enlever tous leurs grains et filaments, puis on les assaisonne avec un peu de sel et une bonne huile d'olive.

Poivrons au vinaigre doux

Prendre 2 kilos de poivrons bien charnus, parfaitement sains et fermes. Assortir, dans la mesure du possible, poivrons doux et poivrons piquants, à parts égales.

Enlever le pédoncule des poivrons et essuyer soigneusement ces derniers avec une chiffon propre de manière à éliminer toute trace de poussière ou d'anticryptogamique. Puis, à l'aide d'un petit couteau, couper les poivrons en deux ou trois morceaux en ayant soin d'enlever au fur et à mesure, toutes les graines et les parties blanches se trouvant à l'intérieur.

Dans une très grande casserole (si l'on ne dispose pas d'un récipient suffisamment grand, on peut procéder en deux fois), verser 150 g de suche, 3/4 l de vinaigre de vin blanc pur, 1/4 l d'huile d'olive très pure et placer au fond de la casserole les poivrons taillés. Ajouter une pincée de sel.

Mettre la casserole sur le feu et porter à ébullition, puis diminuer la flamme et laisser cuire pendant 2 minutes, pas plus.

Retirer un à un les poivrons du liquide de cuisson, à l'aide d'une écumoire, et les laisser égoutter avant de les disposer délicatement sur un plat pour qu'ils refroidissent. Le liquide doit lui aussi refroidir; pour accélérer le processus on pourra mettre la casserole dans l'évier contenant un peu d'eau froide.

Choisir des bocaux de verre très larges, les laver soigneusement et les faire bouillir dans une marmite pleine d'eau pendant 15 minutes. Les extraire ensuite de ce grand récipient, en veillant bien à ne pas toucher l'intérieur des bocaux, les poser, à l'envers,

sur un linge extrêmement propre et attendre qu'ils sèchent.
Lorsqu'ils sont parfaitement secs, les remettre dans le bon sens et les remplir aux trois uarts de poivrons, délicatement posés l'un sur l'autre, puis combler l'espace restant avec le liquide de cuisson froid. Ranger les bocaux dans un garde-manger et ne les ouvrir que deux ou trois mois plus tard. Les poivrons ainsi préparés peuvent se conserver pendant deux ans; toutefois, lorsqu'un bocal a été ouvert, il est indispensable de consommer son contenu sans délai.
Les poivrons au vinaigre doux sont excellents, servis avec toutes sortes de viandes rôties ou grillées, y compris les saucisses et la langue bouillie.

Pommes de terre (Conservation des)

Lorsqu'on dispose d'une grande quantité de pommes de terre, comment les conserver en prévision de l'hiver?
Si les pommes de terre sont de différentes sortes, il faut, avant toute chose, les grouper par qualité. Ne jamais les mélanger car il y en a des farineuses et d'autres à chair plus dure, il y en a qui font d'excellentes salades, d'autres de bonnes frites, tandis que d'autres encore conviennent mieux à la confection de purées, de gnocchi ou de gratins.

Le local convenant à la conservation des pommes de terre: Un tel local doit être:
- — sec, pour éviter que les pommes de terre moisissent;
- — tempéré pour qu'elles ne gèlent pas;

— pas trop tiède pour qu'elles ne germent pas;
— pas trop lumineux pour qu'elles ne verdissent pas;
— assez vaste pour que les pommes de terre puissent être étalées et non entassées, ce qui aurait pour effet de les détériorer.

Il faut fréquemment surveiller les pommes de terre, les retourner et retirer celles qui portent des germes. Lorsqu'on avance dans la saison, il est préférable d'avoir épuisé tout le stock car, lorsque la nouvelle production s'annonce, les réserves de la saison précédente n'ont plus de goût.

Sauce aux câpres et à l'échalote

Mettre dans un mixer 10 cuillerées de câpres au vinaigre bien tassées, 2 cuillerées de vinaigre aromatisé, un petit bouquet d'échalote, 1 petite cuillerée de sel et un soupçon de poivre.
Bien mélanger jusqu'à l'obtention d'une substance dense, puis ajouter du vinaigre, si cela s'avère nécessaire.
Verser la sauce ainsi obtenue dans des bocaux en verre propres et secs de façon à remplir ces derniers aux quatre cinquièmes, couvrir d'huile d'olive et fermer hermétiquement. Mettre des étiquettes sur les bocaux et les ranger.
Cette préparation peut accommoder le poisson cuit à l'eau, les œufs durs et relever le goût de certains assaisonnements de salades.

Sauce de raifort

La racine de raifort, également appellée moutarde des Allemands, est en vente chez les marchands de légumes et chez les herboristes.

En acheter un beau morceau, le râper et recueillir la râpure dans une assiette creuse. Y ajouter sel et vinaigre selon le goût.
Bien mélanger le tout pour que les ingrédients se fondent parfaitement, puis verser la sauce ainsi obtenue dans un bocal en verre préalablement lavé et bien essuyé.
Ne pas remplir le récipient jusqu'au bord et laisser suffisamment d'espace pour un filet d'huile d'olive. Fermer hermétiquement le bocal et le ranger dans un garde-manger. On peut, si on le désire, utiliser la sauce ainsi préparée, quelques jours seulement après la mise en conserve. On l'emploiera comme condiment pour accompagner la viande rôtie ou le gibier.
Le raifort a un goût très fort, analogue à celui de la moutarde, pour atténuer un peu ce goût brûlant, on peut, au moment de servir, le mélanger à une petite cuillerée de crème fouettée (proportion pour quatre personnes), en remuant énergiquement, ou bien le mélanger à de la chapelure.

Sauce tomate (Recette n° 1)

Les tomates utilisées pour cette recette doivent appartenir à l'une des catégories convenant à la confection des sauces.
Il en faut 1 kilo, bien mûres mais encore fermes. Retirer les pédoncules et couper les parties voisines de l'attache du fruit, souvent moins mûres que le reste. Frotter ces tomates avec un chiffon, puis les laver et les mettre à sécher au soleil pendant quelques jours. Le séchage au soleil présentant quel-

ques inconvénients (poussière, insectes), on lui préfèrera le séchage sur la plaque d'un four tiédi.
Mettre les tomates dans une casserole en verre ou en terre sans y ajouter aucun ingrédient et faire cuire à feu très doux. Passer ensuite les tomates au tamis et recueillir la purée ainsi obtenue, dans une terrine. La verser ensuite dans un petit sac de toile et suspendre celui-ci de manière que tout le liquide superflu s'en échappe.
Au bout d'une heure environ, remettre la purée dans la casserole précédemment utilisée, après l'avoir rincée et essuyée et y ajouter un bouquet de persil préalablement haché, du sel, un clou de girofle finement émietté et un demi-verre d'huile d'olive. Faire cuire à feu très doux, laisser bouillir 1 minute en veillant à ce que la sauce n'attache pas.
Verser la sauce encore chaude dans des bocaux propres et secs, puis la recouvrir d'un bon doigt d'huile d'olive.
Attendre que les bocaux soient entièrement refroidis pour les fermer hermétiquement (cela demande 1 heure environ), puis les ranger dans un garde-manger.

A noter. Pour évaluer la quantité de sel nécessaire à la préparation, peser le sac de toile après évacuation du liquide et compter une proportion de sel égale à un dixième du poids de tomates.

Sauce tomate (Recette n° 2)

Cette recette est la plus simple de toutes: elle se réalise à froid et ne nécessite pas de grands préparatifs.

Choisir des tomates ovoïdes (olivettes), mûres et fermes, à pulpe charnue.
Les laver soigneusement et les laisser tremper pendant environ une heure, en renouvelant l'eau une ou deux fois.
Les essuyer ensuite une à une, retirer le pédoncule et sa partie environnante, plus claire et moins mûre que le reste du fruit.
Couper les tomates en quartiers, les passer au tamis et recueillir la purée ainsi obtenue dans un petit sac de toile que l'on suspend ensuite au-dessus de l'évier pour que s'écoule la plus grande quantité de liquide possible.
Il faudra quelques heures pour que la purée de tomates soit suffisamment égouttée. Peser le sac plein, verser la pulpe de tomates dans une terrine, peser de nouveau le sac et calculer le poids net, puis incorporer à la purée de tomates un gramme d'acide salicylique par kilo de pulpe.
Mélanger le tout longuement et avec le plus grand soin, puis verser la sauce dans les bocaux. Ceux-ci auront été préalablement lavés, auront bouilli pendant un quart d'heure dans de l'eau, auront été retirés du récipient de cuisson, sans que l'intérieur entre en contact avec les doigts et auront séché, retournés sur un linge propre.
Fermer hermétiquement les bocaux et les ranger dans un lieu sec et frais.

Sauce tomate et légumes en bouteilles stérilisées
(Recette n° 1)

Avant de procéder à l'épluchage des légumes, laver et mettre à sécher autant de bouteilles à large col

qu'il en faudra pour contenir la sauce, une fois que celle-ci sera terminée. Préparer des bouchons de liège et de la ficelle.
Laver, éplucher et couper en morceaux: 5 kg de tomates pour sauce, 300 g de carottes bien tendres, 300 g de côtes de céleris blancs, 300 g de petits oignons, 150 g de persil, 30 g de basilic, 30 g de marjolaine ou de thym, 20 g d'origan. Les herbes aromatiques seront grossièrement hachées. Mettre le tout dans une casserole en verre ou en terre. Mettre à cuire, à feu très doux, en surveillant continuellement la cuisson afin d'enlever tout excédent de liquide à l'aide d'une louche, si cela s'avère nécessaire. Lorsque les légumes sont cuits, retirer la casserole du feu et laisser refroidir, avant de passer l'ensemble au tamis.
Recueillir la sauce dans une terrine, puis la transvaser de nouveau dans la casserole (lavée et essuyée) et remettre sur le feu, en ajoutant à cette préparation: une cuillerée de sucre, une grosse pincée de poivre et une poignée de sel de cuisine.
Bien mélanger et laisser bouillir 10 minutes.
Remplir les bouteilles à la cuillère, en ménageant un espace vide de quatre doigts dans le goulot. Entourer chaque bouteille d'une feuille de papier journal et disposer chacune d'elles dans une grande marmite contenant de l'eau froide, puis mettre sur le feu.

Sauce tomate en bocaux stérilisés (Recette n° 2)

Choisir une variété de tomates convenant à la préparation des sauces (olivettes, par exemple). Les nettoyer, en prenant soin d'écarter toutes celles qui

sont trop mûres ou qui ne le sont pas assez. Enlever le pédoncule et couper la partie avoisinante qui est en général moins mûre que les autres. Plonger les tomates dans de l'eau froide et les y laisser pendant une heure, en renouvelant l'eau deux ou trois fois, les rincer ensuite abondamment sous le robinet. Laisser égoutter, puis couper les tomates en deux ou trois morceaux et les jeter dans une casserole en verre ou en terre avec une bonne pincée de sel, une pincée de poivre, 3 ou 4 feuilles de basilic, un oignon de grosseur déjà émincé, une gousse d'ail.
Mettre la casserole sur le feu, porter à ébullition, baisser la flamme et laisser mijoter doucement pendant environ 45 minutes, en remuant continuellement à l'aide d'une cuillère en bois pour empêcher que la sauce n'attache au fond de la casserole.
Attendre que la sauce refroidisse, puis la passer au tamis, en recueillant la purée ainsi obtenue, dans une terrine. Si cette purée est trop liquide, la remettre dans la casserole et la faire bouillir jusqu'à ce que le liquide excédentaire se soit complètement évaporé. Attendre que la purée tiédisse pour la mettre dans les bocaux propres et secs, ne remplir ces derniers qu'aux quatre cinquièmes. Mettre au fond d'une grande marmite un torchon replié et une quantité d'eau telle que les bocaux ne soient pas submergés.
Entourer chaque bocal d'une feuille de papier journal et le disposer avec les autres dans la grande marmite, puis mettre cette dernière sur le feu.
Dès que l'eau commence à bouillir, baisser la flamme et laisser continuer l'ébullition à feu très doux pendant 45 minutes.
Laisser tiédir l'eau avant de retirer les bocaux de la marmite. Essuyer la face externe de chacun d'eux,

puis verser un doigt d'huile sur la sauce tomate qu'ils contiennent, puis fermer hermétiquement.
Cette sauce parfumée peut être utilisée telle quelle, ou additionnée d'un peu de sel pour accommoder les pâtes ou le riz à l'eau, la viande.
On peut commencer à utiliser cette sauce 1 ou 2 mois après sa mise en conserve. Tenir les bocaux dans un lieu sec et frais.

Sauce tomate en bouteilles stérilisées (Recette n° 3)

Prendre 5 kilos de tomates convenant à la confection des sauces (olivettes, par exemple). Les laver et les laisser tremper environ une heure dans de l'eau froide, puis les rincer sous le robinet et les essuyer une à une avec un torchon. Les couper en deux si elles sont petites et en quatre si elles sont grosses.
Jeter les quartiers de tomates dans une casserole en acier inoxydable, en terre ou en verre, et les faire bouillir à feu très doux pour qu'elles perdent un peu de liquide. Les retourner souvent à l'aide d'une cuillère en bois, et lorsqu'elles sont arrivées au quart de leur cuisson, retirer la casserole du feu et laisser tiédir.
A l'aide d'une cuillère verser les tomates par petites quantités dans un mixer et les fouetter jusqu'à obtenir une crème très dense, bien homogène, sans trace de pépins ou de peaux.
Remettre cette crème dans la casserole (rincée et essuyée), ajouter 50 g de gros sel, 20 g de marjolaine ou de basilic (ou 10 g de marjolaine et 10 g de basilic) bien lavés, émiettés ou entiers.
Couvrir et laisser cuire pendant environ une heure. Remuer de temps en temps pour empêcher (surtout

pour les casseroles en verre ou en terre) que la sauce n'attache.
Laisser refroidir la sauce et préparer les bouteilles après les avoir bien lavées, rincées et laissées sécher à l'air. Choisir des bouteilles à col large de manière à faciliter l'introduction de la sauce au cas ou celle-ci serait un peu épaisse. A l'aide d'une cuillère et d'un entonnoir, verser la sauce dans les bouteilles, tout en ménageant un espace vide dans tout le goulot.

Sauce tomate sans sel (Recette n° 4)

Choisir une variété de tomates adaptée à la confection des sauces; les fruits devront être le plus fermes et le plus pulpeux possible. Couper les tomates en quartiers après les avoir soigneusement essuyées et lavées, puis les jeter dans une grande casserole en verre ou en terre et les faire cuire à feu très doux en remuant continuellement.
Lorsque les tomates se seront défaites, retirer la casserole du feu et verser la pulpe de tomates dans un tamis en le secouant bien, de manière à éliminer le plus de liquide possible. Mettre ensuite la pulpe dans un petit sac de toile que l'on suspendra au-dessus de l'évier pour que puisse s'écouler le liquide restant.
Deux heures après, verser la pulpe dans le tamis et la passer de sorte que tous les pépins et la peau soient éliminés. Si cela s'avère nécessaire, remettre le coulis dans la casserole pour enlever l'excédent d'eau.
La sauce est prête lorsqu'une goutte de celle-ci, ver-

sée sur une assiette inclinée, glisse sans laisser de trace d'humidité.
Peser la pulpe et compter un gramme d'acide salicylique par kilo de sauce; incorporer l'acide salicylique à la sauce en remuant bien, puis laisser refroidir complètement.
Entre-temps préparer des bocaux à col étroit, en évitant de porter votre choix sur des bouteilles car, la sauce étant très dense, il vous serait difficile de l'introduire, puis de la ressortir par le goulot.
Laver les bocaux, puis les placer dans une marmite pleine d'eau froide et les faire bouillir pendant environ un quart d'heure à feu doux. Retirer ensuite les bocaux de l'eau en ne les touchant qu'à l'extérieur, et les laisser égoutter à l'envers sur des torchons propres repliés, jusqu'à ce qu'ils soient entièrement secs.
Placer un torchon replié au fond d'une grande marmite, y verser de l'eau froide, envelopper chaque bouteille d'un papier journal ou d'un chiffon propre, enfoncer les bouchons et les fixer solidement au goulot à l'aide d'une petite ficelle, puis disposer chaque bocal bien droit dans la marmite.
Si la sauce ne dépasse pas la partie renflée de la bouteille, si le vide est respecté dans le goulot, si les bouchons sont solidement enfoncés dans le col de la bouteille et correctement attachés, aucun bouchon ne sautera pendant la stérilisation.
Mettre la marmite et son contenu sur le feu et attendre que l'eau arrive à une ébullition modérée, puis baisser la flamme au minimum et laisser bouillir ainsi pendant au moins une heure. Laisser les bouteilles dans l'eau jusqu'à complet refroidissement, puis les retirer une à une de la marmite, les essuyer, les étiqueter en mentionnant le nom du contenu et la

date; aligner les bouteilles sur une étagère, dans un lieu frais et entièrement dépourvu d'humidité.
Il est préférable de ne pas mettre ces bouteilles à la cave, à moins que celle-ci soit sèche, aérée et éloignée de toute source de chaleur.

Tomates conservées dans la saumure

Prendre 1 kilo de tomates de forme ovoïde: type "Olivette". Ces tomates doivent être mûres mais non défaites, fermes, sans tache et de taille à peu près égale.
Les essuyer avec un torchon, les laver soigneusement après les avoir fait tremper une bonne heure, les essuyer à nouveau et les percer, une à une, de trois ou quatre trous, à l'aide d'une aiguille à repriser.
Dans une casserole en verre ou en terre, faire bouillir, 5 à 10 minutes, une grande quantité d'eau additionnée de 20 g de sel par litre. Pendant ce temps, disposer les tomates à la verticale dans les bocaux et les placer l'une à côté de l'autre sans les meurtrir. Faire une couche ou deux selon la grandeur du récipient. (Choisir de préférence des bocaux à large ouverture).
Remplir ensuite les bocaux d'eau bouillante salée, attendre 10 minutes et les fermer hermétiquement. Procéder à la stérilisation, en mettant les bocaux dans une grande marmite. Laisser bouillir une quinzaine de minutes, puis éteindre le feu et attendre que les bocaux refroidissent pour les sortir de la marmite.. Les essuyer soigneusement et les ranger dans un garde-manger.
On peut utiliser ces tomates pour la préparation de

diverses sauces, sans oublier qu'elles contiennent déjà du sel et qu'il est inutile d'en ajouter.

Tomates entières au naturel, en bocaux stérilisés

Pour cette préparation, utiliser des tomates ovoïdes, mûres mais non défaites, très saines et de moyenne grosseur.
Les essuyer une à une à l'aide d'un torchon, puis les plonger par groupes de quatre ou cinq, dans de l'eau bouillante. Les retirer de l'eau, les peler et les mettre en attente sur un plat. Si l'on remarque alors, sur certaines tomates, que la partie voisine du pédoncule n'est pas tout à fait mûre et est restée un peu dure, la couper avec un petit couteau.
Mettre toutes les tomates dans des bocaux en verre très propres et bien secs, de manière à remplir ces derniers presque jusqu'en haut, sans toutefois comprimer les tomates.
Pendant toute la durée de cette opération, on aura préparé la saumure en laissant bouillir pendant une dizaine de minutes suffisamment d'eau salée pour recouvrir toutes les tomates (les proportions de sel sont de 20 g par litre d'eau).
Laisser tiédir l'eau et la verser dans les bocaux. Stériliser alors les récipients.
Dans une grande marmite tapissée au fond de torchons de cuisine repliés, mettre une quantité d'eau telle que les bocaux ne soient pas submergés au moment de l'ébullition. Entourer chaque bocal d'une feuille de papier journal avant de le placer dans la marmite.
Mettre le récipient sur le feu et porter le tout à ébullition, puis abaisser la flamme et laisser bouillir très

doucement pendant environ 1 heure ou plus au besoin. Eteindre le feu et attendre que l'eau soit complètement refroidie, puis retirer les bocaux de la marmite, un à un. Les essuyer, les boucher hermétiquement, les étiqueter, puis les ranger sur une étagère.

Tomates à l'huile

Cette recette est bien connue des méridionaux. Elle nécessite l'emploi de tomates mûres mais encore fermes, de forme soit ovoïde, soit ronde, soit aplatie, ou avec des côtes dessinées à l'attache du fruit. Les nettoyer à l'aide d'un torchon propre, les couper en deux, dans le sens de la largeur s'il s'agit de tomates rondes, et dans le sens de la longueur s'il s'agit de tomates oblongues. Les mettre à sécher sur une table en bois ou sur le fond d'un panier renversé, la partie coupée tournée vers le haut. Les saupoudrer de sel et les laisser exposées au soleil jusqu'à ce qu'elles soient complètement sèches.

Les couvrir, si possible, d'un voile de gaze pour les protéger des insectes.

Lorsqu'elles sont sèches, les laver dans du vinaigre de bonne qualité, puis les disposer en couches superposées dans des bocaux de verre, en recouvrant chacune d'elles d'huile d'olive vierge. Le lavage au vinaigre est indispensable pour enlever toute trace de poussière.

Avant de fermer hermétiquement le bocal, disposer quelques feuilles de basilic à la surface de l'huile. Ranger dans un garde-manger.

On peut consommer les tomates à l'huile environ deux mois après leur mise en conserve.

Tomates pelées

Acheter des tomates se prêtant à la confection des sauces, les choisir fermes, mûres mais pas molles, sans taches ni meurtrissures.
Les essuyer une à une à l'aide d'un torchon, de manière à enlever toute trace d'anticryptogamique, puis les pocher à l'eau bouillante, trois par trois ou quatre par quatre. Les retirer à l'aide d'une écumoire et les éplucher, puis les couper en deux ou trois quartiers et, si nécessaire, retirer les pépins.
Disposer ensuite les tomates sur un tamis à larges mailles pour que tout excédent de liquide soit éliminé. Répéter l'opération, si nécessaire.
Lorsque les tomates sont au maximum débarrassées de leur eau, les peser et calculer, en fonction du poids obtenu, la dose d'acide salicylique qui vous est nécessaire, à raison d'un gramme par kilo de pulpe. L'acide salicylique est vendu en pharmacie et il est très facile de s'en procurer.
Verser toutes les tomates dans une grande terrine, y ajouter une quantité adéquate d'acide salicylique, mélanger lentement et longuement à l'aide d'une cuillère en bois, puis verser le tout dans des bocaux en verre que l'on aura préalablement lavés et laisser bouillir pendant un quart d'heure.
Avant de refermer hermétiquement le couvercle, poser sur les tomates quelques petites feuilles de basilic, puis ranger les bocaux dans un garde-manger.
A noter. Etant donné que les bocaux, une fois ouverts, doivent être consommés dans les plus brefs délais, il est préférable de n'utiliser, pour ce type de conserve, que des récipients de petite taille.
L'adjonction d'acide salicylique rend inutile la stérilisation des bocaux selon le système Appert.

Préparations à base de plusieurs légumes

Jardinière à l'huile

Pour cette préparation se référer à la recette n° 3 de jardinière au vinaigre.
Préparer tous les légumes, les mettre dans de la saumure pendant 24 heures, puis les égoutter et les presser, avant de les verser dans un récipient contenant du vinaigre bouilli, aromatisé et parfaitement refroidi.
Attendre encore 24 heures et retirer les légumes du vinaigre, les laisser égoutter, puis les étaler sur un torchon pour qu'ils sèchent. Les répartir dans des bocaux que l'on ne remplit qu'aux trois quarts et compléter la préparation avec de l'huile d'olive de toute première qualité.
Boucher hermétiquement les bocaux et les ranger dans un garde-manger.
On peut commencer à consommer les jardinières de légumes à l'huile 3 mois environ après leur mise en conserve.
Le vinaigre, dans lequel les légumes ont trempé pendant 24 heures, peut être filtré et utilisé pour l'assaisonnement des salades.

Jardinière au vinaigre (Recette n° 1)

Utiliser toutes sortes de légumes: petites carottes nouvelles, côtes de céleris blancs, choux-fleurs, poivrons doux ou piquants, petites échalotes, fenouil, côtes de choux, concombres, courgettes, haricots verts, etc.
Tous ces légumes doivent être tendres, et les haricots sans fils, absolument sains et sans taches.
Il faut, pour chaque kilo de légumes: un litre et demi de vinaigre de vin pur (blanc ou rouge), 3 clous de girofle, 1 gousse d'ail, une feuille de laurier, un petit morceau de cannelle.
Eplucher chaque sorte de légumes séparément, les laver soigneusement dans plusieurs eaux. Les laisser égoutter, puis les couper de la manière suivante: partager les choux-fleurs en petits bouquets, retirer les graines et les filaments des poivrons et les couper en bandes, couper les courgettes et les carottes en petits cubes, les concombres en rondelles s'ils sont gros (les laisser intacts s'ils sont très petits); ôter les premières feuilles des échalotes en les laissant entières, enlever les deux extrémités des haricots verts, les laisser entiers ou les couper en deux ou trois morceaux.
Faire bouillir le vinaigre aromatisé dans une casserole en terre ou en verre: dès que l'ébullition s'amorce, retirer les aromates à l'aide d'une écumoire et les remplacer par l'un des légumes, les haricots par exemple. Les retirer toujours lorsqu'ils sont à mi-cuisson et les mettre à sécher sur un torchon.
Procéder de cette façon, pour chaque légume séparément, car chacun d'eux a un temps de cuisson différent, les mettre à sécher sur des torchons au fur et à mesure. Garder les concombres qui ont un temps

de cuisson extrêmement réduit (1 minute ou 2) pour la fin, et faire cuire les échalotes en tout dernier lieu à cause de l'odeur qu'elles dégagent.
Cette opération terminée, laisser sécher les légumes, en les retournant de temps en temps.
Après le séchage, les mélanger puis les introduire dans les bocaux, en ne remplissant ces derniers qu'aux trois quarts. Ajouter un fort vinaigre de vin pur (blanc ou rouge) jusqu'à un doigt du bord.
Couvrir alors la surface d'une pincée de persil haché et fermer hermétiquement les bocaux, puis les ranger dans un lieu sec et frais.
Ne commencer à consommer le contenu des bocaux que trois mois après leur préparation.
On peut utiliser la jardinière de légumes seule ou mélangée à de la salade fraîche, comme garniture des viandes bouillies et des œufs durs ou en gelée.
On peut utiliser le vinaigre ayant servi à la cuisson, pour l'assaisonnement des salades, après l'avoir filtré. On le conservera dans un bocal. S'il n'est plus très fort à cause de la cuisson, il est en revanche très aromatisé.

Jardinière au vinaigre (Recette n° 2)

On peut utiliser pour cette préparation tous les légumes énumérés dans la recette n° 1, en y ajoutant quelques aubergines bien fermes, du vinaigre de vin pur à volonté, du sel fin et de l'huile d'olive.
Eplucher tous les légumes, les laver à plusieurs reprises, les laisser égoutter, les essuyer entre deux torchons, puis les disposer en couches superposées sur un ou plusieurs plats, en saupoudrant chaque couche de sel fin.

Couvrir les plats et laisser les légumes dans la saumure pendant 24 heures.
Ce laps de temps étant écoulé, presser les légumes entre les mains afin d'en éliminer tout le liquide, et les jeter dans une casserole en terre contenant du vinaigre de vin pur bouillant. Laisser cuire 1 ou 2 minutes, puis éteindre la flamme et attendre que les légumes et le vinaigre soient entièrement refroidis, ou, mieux encore, attendre 24 heures.
Verser alors les légumes et le liquide de cuisson dans des bocaux en verre et si le vinaigre ne suffit pas à recouvrir tous les légumes en ajouter d'autre de même qualité mais cru.
Ménager un petit espace dans les bocaux pour y verser la valeur d'un doigt d'huile, puis les boucher hermétiquement et les ranger dans un garde-manger.

Jardinière au vinaigre (Recette n° 3)

Utiliser les mêmes légumes que pour les deux recettes précédentes, mais changer les proportions de vinaigre. Celui-ci doit toujours être un vinaigre de vin blanc pur, mais il en faut 3 litres et demi par kilo de légumes nettoyés.
Tous les légumes doivent être triés, lavés, débarrassés de leurs grains et filaments, épluchés et coupés en cubes ou en quartiers. Les jeter dans une casserole contenant de l'eau bouillante légèrement salée. Laisser tremper les légumes pendant environ 5 minutes, puis les retirer de l'eau à l'aide d'une écumoire, les égoutter et les étaler sur un torchon propre pour qu'ils sèchent à l'air.
Introduire ensuite tous les légumes dans un ou plu-

sieurs bocaux en verre ou dans une grande soupière, et les couvrir de vinaigre froid (environ la moitié de la quantité indiquée). Mettre un couvercle sur les récipients et laisser macérer les légumes dans le vinaigre pendant au moins 24 heures.
Verser alors le vinaigre restant dans une casserole en verre ou en terre et y ajouter un bouquet garni (constitué, par exemple, de marjolaine, de basilic, de persil, etc.), une gousse d'ail, 3 clous de girofle, un petit morceau de cannelle, une poignée de sel et faire bouillir à feu doux, casserole couverte, pendant 15 minutes au plus.
Eteindre la flamme, retirer les aromates et le bouquet garni à l'aide d'une écumoire, puis filtrer le vinaigre à travers un chinois et le laisser refroidir. Retirer les légumes du vinaigre et les laisser égoutter, puis les répartir dans divers récipients préalablement lavés et séchés; ne les remplir qu'aux deux tiers. Verser sur cette préparation du vinaigre bouilli aromatisé, puis fermer hermétiquement les bocaux et les aligner sur une étagère. Ne commencer à les ouvrir qu'un mois après la mise en conserve.

Légumes en sauce piquante

Nettoyer: 1 chou-fleur de 300 g, 1 gros concombre, 150 g de haricots verts mi-fins, 300 g de carottes tendres, 300 g de petits oignons, 2 côtes de céleri blanc, 1 melon de 300 g. Laver soigneusement tous les légumes et les couper en petits dés. Le chou-fleur sera divisé en petits bouquets, on éliminera ses feuilles, s'il en a, mais on utilisera ses côtes, coupées également en petits dés.
Verser le tout dans un grand saladier, saupoudrer

de 75 g de gros sel et laisser macérer une dizaine d'heures.
Dans une marmite en terre, faire bouillir 3/4 de litre de vinaigre de vin pur, additionné d'une cuillerée de piment rouge en poudre, puis filtrer le liquide et le laisser refroidir.
Mélanger 2 grosses cuillerés de farine de maïs, 1 cuillerée à café de curry, 1 bonne cuillerée à café de gingembre, 2 cuillerées de moutarde forte et diluer le tout dans un peu de vinaigre bouilli, puis ajouter par petites quantités un peu de l'autre vinaigre, sans cesser de remuer pour éviter la formation de grumeaux.
Mettre ensuite les légumes égouttés dans un grande marmite de verre ou de terre, y ajouter la sauce piquante, et allumer le feu. Laisser bouillir 40 minutes. Lorsque les légumes auront entièrement refroidi, les introduire dans des bocaux de verre parfaitement propres et secs, à l'aide d'une cuillère. Puis fermer hermétiquement les bocaux.
Pour ce type de conserve, il est préférable d'utiliser des bocaux à large ouverture, afin de faciliter l'extraction de leur contenu. Aligner les bocaux ainsi préparés sur une étagère, dans un endroit frais.

Macédoine de fruits et légumes au vinaigre

Pour exécuter cette recette il faut: quelques grains de groseilles à maquereau pas tout à fait mûrs, un ou deux melons nains de couleur verte, quelques cerises acides, de tout petits cornichons, quelques pointes d'asperges, de toutes petites carottes nouvelles, un chou-fleur, un excellent vinaigre de vin blanc pur, du sel.

Eplucher les grains de groseille à maquereau, ôter la queue des cerises, la peau des melons, les feuilles du chou-fleur, les deux extrémités des cornichons et toute la partie blanche des asperges. Laver, égoutter, puis couper les carottes et les melons en petits dés; laisser entiers les cornichons, les cerises et les groseilles à maquereau, le chou-fleur en bouquets. Faire ensuite tremper tous ces ingrédients dans de l'eau froide et les y laisser quelques heures, en renouvelant l'eau une ou deux fois, pour éliminer toute trace de poussière et de produits chimiques.
Faire bouillir une bonne quantité d'eau dans une casserole et y verser les ingrédients énumérés ci-dessus. Les laisser bouillir quelques minutes, puis les retirer de l'eau à l'aide d'une écumoire, et les étaler sur un torchon propre pour les faire sécher.
Verser du vinaigre de vin blanc pur dans un saladier suffisamment grand pour contenir à la fois les fruits, les légumes et la quantité de vinaigre nécessaire à les recouvrir entièrement.
Laisser macérer ainsi pendant deux jours.
Deux semaines avant de commencer cette opération verser du vinaigre dans un grand récipient muni d'un système de fermeture; mettre à macérer dans ce vinaigre 1 ou 2 gousses d'ail, 3 ou 4 petits oignons, 2 piments piquants entiers, 3 ou 4 clous de girofle, beaucoup de sel et de grains de poivre.
Les ingrédients (fruits et légumes) doivent être mis à égoutter dans un saladier, avant d'être répartis dans des bocaux en verre, que l'on ne remplit qu'aux trois quarts. Combler l'espace vide avec le vinaigre aromatisé, passé à travers un chinois.
Fermer hermétiquement les bocaux, les étiqueter, les ranger dans un garde-manger et ne les ouvrir que 2 mois, au moins, après leur préparation.

Table des matières

Achevé d'imprimer
en décembre 1976
à Trento sur les presses
de Industria Grafica Atesina S.p.A.
Dépôt légal: 1er trimestre 1977
Numéro d'editeur: 222
